D0232931

PRIVATE LOS ANGELES

Ne à New York en 1947, James Patterson publie son premier roman en 1976. La même année, il obtient l'Edgar Award du roman policier. Il est aujourd'hui l'auteur de plus de quarante best-sellers traduits dans le monde entier. Plusieurs de ses thrillers ont été adaptés à l'ecran.

Maxine Paetro a travaillé pour plusieurs agences de publicité new-yorkaises de 1975 à 1987. C'est ainsi qu'elle a rencontré James Patterson et qu'a débuté leur collaboration, notamment sur la série des *Women's Murder Club*.

Paru dans Le Livre de Poche :

BIKINI
BONS BAISERS DU TUEUR
CRISE D'OTAGES
DERNIÈRE ESCALE
GARDE RAPPROCHÉE
LUNE DE MIEL
LA MAISON AU BORD DU LAC
ON T'AURA PRÉVENUE
PROMESSE DE SANG
UNE NUIT DE TROP
UNE OMBRE SUR LA VILLE

Les enquêtes d'Alex Cross :

LE MASQUE DE L'ARAIGNÉE
GRAND MÉCHANT LOUP
SUR LE PONT DU LOUP
DES NOUVELLES DE MARY
LA LAME DU BOUCHER

Women Murder Club

2e CHANCE
TERREUR AU 3e DEGRÉ
4 FERS AU FEU
LE 5e ANGE DE LA MORT
LA 6e CIBLE
LE 7e CIEL
LA 8e CONFESSION

JAMES PATTERSON
MAXINE PAETRO

Private Los Angeles

TRADUIT DE L'ANGLAIS (ÉTATS-UNIS) PAR ROMAIN DUCHESNES

L'ARCHIPEL

Titre original :

PRIVATE

Publié par Little, Brown and Company, New York, 2010.

ISBN : 978-2-253-16723-5 – 1re publication LGF

PROLOGUE
« T'es mort, Jack… »

1

En dépit de souvenirs pour le moins confus – vous m'en excuserez –, je vais vous raconter ce qui s'est probablement passé la première fois que je suis mort.

Les balles de mortier fusaient de toutes parts, dans un vacarme assourdissant. Je portais par-dessus l'épaule le caporal Danny Young, un type que j'adorais. De tous les marines aux côtés desquels j'avais combattu, il s'agissait du plus endurci, drôle comme tout et, mieux encore, d'un optimisme à toute épreuve. Chez lui, au Texas, sa femme attendait un quatrième enfant.

Aujourd'hui, Danny pissait le sang, qui ruisselait le long de ma combinaison de vol jusque sur mes bottes. Devant nous, dans l'obscurité, s'étendait une plaine rocailleuse.

— Je suis là, je ne te lâche pas, lui assurai-je d'une voix étranglée. Tiens bon, accroche-toi.

Parvenu à moins de deux cents mètres de l'hélicoptère, je le posai à terre. Il y eut une terrible explosion, comme si le sol venait de s'ouvrir sous nos pieds. Un violent coup me frappa en pleine poitrine et tout s'arrêta.

C'est alors que je mourus. Je passai de l'autre côté. Pendant combien de temps ? Difficile à dire.

Plus tard, Del Rio m'expliqua que mon cœur avait cessé de battre.

Je me rappelle simplement avoir nagé vers la lumière. Je sens encore la douleur et, dans mes narines, l'abominable odeur du carburant.

Puis, mes yeux s'ouvrirent. Del Rio se tenait le visage collé au mien, les mains appuyées sur ma poitrine. En me voyant reprendre connaissance, il éclata de rire et les larmes roulèrent sur ses joues.

— Jack ! s'écria-t-il. Espèce d'enfoiré, te voilà de retour !

Un épais rideau de fumée noire et grasse se dirigeait droit sur nous. Danny Young gisait à mes côtés, les jambes désarticulées. Derrière, l'hélicoptère brûlait d'une lueur vive. Il allait exploser d'une minute à l'autre.

Mes potes se trouvaient à l'intérieur. Mes amis. Des mecs qui avaient risqué leur vie pour moi.

— Nom de Dieu, balbutiai-je. Il faut les tirer de là.

Del Rio s'efforça de me retenir, mais en vain : d'un coup de coude dans la mâchoire, je me libérai de son emprise pour m'élancer vers le formidable oiseau de métal dont l'armature s'embrasait de plus belle.

Il me fallait à tout prix sortir de là les marines restés à l'intérieur.

L'effroyable rugissement des mitrailleuses calibre .50 résonna à nouveau, et l'artillerie montée à bord de l'hélicoptère explosa.

— À terre ! hurla Del Rio. Jack, putain, mets-toi à terre, pauvre con !

Il se jeta sur moi et, de ses quatre-vingt-dix kilos, m'écrasa au sol. L'hélicoptère disparut dans les flammes. Quant à moi, j'étais encore en vie, à la différence de bon nombre de mes amis. Dieu m'en est témoin, je me serais volontiers sacrifié pour eux.

J'imagine que c'est le genre de détail qui en dit long sur moi, et pas forcément en bien. À vous de juger.

2

Cela faisait deux ans que j'étais rentré d'Afghanistan, et plus d'une année que je n'avais pas revu mon père. Mais je n'avais aucune raison, ni aucune envie de lui rendre visite.

Lorsqu'il me téléphona, c'était pour me dire qu'il avait une annonce importante à me faire, qui risquait de complètement bouleverser ma vie.

Mon père, c'est une ordure finie, un mythomane doublé d'un manipulateur de premier ordre. Pourtant, il m'avait donné envie d'en savoir plus. Et voilà pourquoi je me tenais aujourd'hui devant l'austère porte d'entrée de la prison d'État de Corcoran, en Californie.

Dix minutes plus tard, je m'asseyais derrière la vitre en plexiglas de la salle des visites. Il prit place dans une petite cabine de l'autre côté, m'adressant au passage un beau sourire édenté. Il avait eu belle allure autrefois, mais aujourd'hui, il faisait davantage penser à un Harrison Ford défoncé aux amphétamines.

Il attrapa le combiné et je fis de même.

— Tu es en pleine forme, dis-moi, Jack ! La vie a l'air de te sourire, on dirait.

— Tu as perdu du poids, répondis-je.

— La bouffe ici, fiston, c'est pour les rats.

Mon père reprit la conversation là où il l'avait laissée la dernière fois. À l'en croire, toute cette racaille d'aujourd'hui ne respectait plus rien. Les escrocs de son époque, au moins, avaient un certain sens des valeurs.

— Ils écopent de peines de prison à vie pour avoir buté un employé dans une supérette. Et tout ça pour quoi ? 100 dollars !

J'en avais des migraines rien que de l'écouter. Il fallait l'entendre s'en prendre aux Noirs et aux Hispaniques, lui qui avait pris perpétuité pour meurtre et extorsion, lui qui écoulait précisément ses jours avec la racaille en question. En repensant à toute l'admiration que j'avais eue pour lui, à toutes ces années à me mettre en quatre pour m'attirer ses faveurs et échapper à ses roustes, la honte me submergea.

— Écoute, lui dis-je, je vais en toucher un mot ou deux aux gardiens. Histoire de voir s'ils peuvent te transférer à Bel-Air ou à Beverly Wilshire.

— Je te revaudrai ça !

Cette dernière remarque m'arracha finalement un sourire.

— Tu ne changeras donc jamais.

Il haussa les épaules et me rendit mon sourire.

— Quelle raison aurais-je de changer ?

Sur ses phalanges, je remarquai de nouveaux tatouages : mon nom sur la main gauche, celui de mon frère sur la droite. Il nous en avait fichu, des raclées, avec ces deux poings. Le bon vieux une-deux, comme il l'appelait. Je sentis mes doigts tambouriner sur le rebord du parloir.

— Je t'ennuie ?

— Ben non, penses-tu ! Mais je suis mal garé.

Mon père s'esclaffa à nouveau.

— Quand je te vois, c'est comme si je me voyais. À l'époque où j'étais encore jeune et plein d'idéaux.

Bonjour le narcissisme… Comme si je continuais à l'idolâtrer !

— Jack, soyons sérieux deux minutes, reprit-il. Ça te plaît de travailler pour ce tocard de Pinkus ?

— Prentiss. J'ai beaucoup appris de lui. Oui, ça me plaît. C'est un boulot pour lequel je suis bon.

— Tu perds ton temps, Jack. J'ai mieux à te proposer.

Il marqua une pause, histoire de ménager ses effets.

— Je veux que tu reprennes Private, lança-t-il.

— Papa, tout ce qu'il reste de ta boîte, c'est une flopée de classeurs à tiroirs chez un garde-meuble.

— Tu vas recevoir un paquet demain, continua-t-il, imperturbable. C'est une liste de tous mes clients, avec tous les trucs peu avouables les concernant. Il y a aussi un document pour transférer à ton nom mon compte aux îles Caïmans. 15 millions de dollars, Jack. Ils sont à toi, fais-en ce que tu veux.

Avec stupeur, je songeai à toutes les enquêtes qu'avait menées Private : des affaires de premier plan, avec pour commanditaires des stars du cinéma, des multimillionnaires, et même des hommes politiques parfois tout droit sortis de la Maison Blanche. Inutile de préciser que mon père s'était toujours débrouillé pour pratiquer les tarifs les plus élevés. Mais de là à avoir amassé *15 millions* ? Comment s'y était-il pris ? Avais-je seulement envie de le savoir ?

— Où est le piège, c'est ça que tu te demandes, hein ? poursuivit-il. C'est simple : ton jumeau ne doit rien savoir de cette histoire d'argent. Tout le blé que j'ai pu lui filer, il a fini soit dans ses narines, soit dans les caisses d'un casino. Cette somme te revient de façon légitime. Tout ce que je veux, Jack, c'est faire un truc bien au moins une fois dans ma vie.

— Je croyais t'avoir dit que j'étais content de mon boulot chez Prentiss, rétorquai-je.

— Si seulement tu voyais ta tête, Jack… Écoute, trente secondes. Arrête de jouer au saint et réfléchis un peu. L'argent n'a pas d'odeur, ce n'est qu'une unité d'échange. Je t'offre la chance de ta vie. Une chance à 15 millions de dollars. Je veux qu'on se souvienne de Private comme de ce qui se fait de mieux. T'es intelligent, t'as une belle gueule et, en plus de ça, t'es un putain de vétéran. À toi de ressusciter Private. Fais-le pour moi et, surtout, fais-le pour *toi*. Ne passe pas à côté d'une occasion pareille. Tu as tout ce qu'il faut pour ramener cette boîte au top : l'argent, le talent et, mieux encore, la compassion. Alors, fonce.

L'un des gardiens posa la main sur l'épaule de mon père, qui s'accrocha au combiné et me fixa avec une tendresse que je n'avais pas vue chez lui depuis l'enfance.

— Cette vie, tu la mérites, Jack. Tu es là pour accomplir de grandes choses.

Il appuya une main contre la vitre, se retourna et disparut.

Une semaine après ma visite, il se prit un coup en plein foie. Trois jours plus tard, Tom Morgan était mort.

PREMIÈRE PARTIE

Cinq ans plus tard.
Et tout se passe comme prévu.

1

Les gens me dévoilent leurs secrets, et je ne suis pas certain de savoir pourquoi. Peut-être est-ce ma tête – mon regard ? – qui leur inspire confiance.

Deux mois plus tôt, Guinevere Scott-Evans m'avait, le temps d'une enquête, tout confié de sa vie et de sa carrière. Et je me retrouvais ce jour-là tendant la main à cette superbe jeune femme pour l'aider à descendre de ma Lamborghini bleu foncé. Ses hanches étroites glissèrent délicatement sur le cuir du siège, puis elle ajusta sa robe noire, dont la coupe épousait ses formes à la perfection. Star du cinéma de renommée internationale, elle possédait un véritable sens de l'humour, ainsi qu'une vivacité d'esprit qui lui avait valu de décrocher une licence à Vanderbilt.

C'était son idée de m'inviter aux Golden Globe Awards, sa façon de me remercier d'avoir pris son mari en filature, un rocker dont j'avais découvert qu'il la trompait avec un homme.

Guin ne s'était pas encore remise de sa rupture, ce qui ne l'empêchait pas d'afficher pour l'occasion son plus beau sourire. Selon ses propres termes, elle avait envie d'être vue en compagnie d'un mâle, d'un vrai. Je voyais bien qu'elle voulait se sentir désirable à nouveau.

— On va bien s'amuser, Jack, me glissa-t-elle en m'agrippant les doigts. Nous avons une très bonne table, avec tout le staff de la Columbia. Et il y aura Matt, bien sûr.

Guin était nommée en tant que meilleur second rôle dans une histoire d'amour qu'elle venait de tourner avec Matt Damon, et elle avait de grandes chances de l'emporter. C'était en tout cas tout le mal que je lui souhaitais. Je l'aimais vraiment bien, Guin.

Affairés devant le Beverly Hilton, les fans se délectaient de chaque nouvelle arrivée. Nous nous avançâmes sur l'allée centrale, accueillis par les cris d'enthousiasme et les déclics des appareils photo. Une admiratrice braqua son téléphone sur moi pour me demander si j'étais célèbre.

— Vous plaisantez ? m'esclaffai-je. Je ne suis qu'un faire-valoir.

Guin lâcha ma main pour aller faire la bise à Ryan Seacrest, sous les flashes des journalistes. C'était elle que la foule voulait voir, mais elle m'invita néanmoins à venir la rejoindre, le temps d'une photo.

Seacrest joua le jeu, allant même jusqu'à me demander mon nom et me complimenter sur la coupe de mon costume. Il se demandait encore s'il était censé me connaître lorsque Scarlett Johansson arriva, me gratifiant d'un « salut, Jack ! ». Sous la pression du public, nous fûmes alors poussés le long du tapis rouge qui bordait les gradins, jusqu'à l'entrée du Beverly Hilton.

La dernière chose dont j'avais besoin à cet instant précis, c'était que mon téléphone se mette à sonner.

— Ne réponds pas, m'implora Guin. Tu es à moi pour la soirée, pas question de travailler. Tu m'entends, Jack ?

Le visage de la jeune femme se rembrunit. Je vérifiai le nom de l'appelant : Andy Cushman.

— J'en ai pour une seconde.

Andy m'avait toujours semblé solide comme un roc, mais, ce jour-là, les sanglots s'entrechoquaient dans sa voix.

— Jack, il faut que tu viennes. J'ai besoin de toi immédiatement.

— Andy, je t'assure que ce n'est vraiment pas le moment. Que se passe-t-il ?

— C'est Shelby. *Elle est morte, Jack !*

2

Morte? Comment était-ce possible? Il s'agissait sans doute d'une erreur.

C'était moi qui avais présenté Shelby à Andy. J'avais été témoin à leur mariage, six mois plus tôt, et nous avions dîné ensemble chez Musso & Frank, il y avait à peine une semaine. Andy m'avait annoncé ce jour-là qu'ils baptiseraient leur premier fils Jack.

Se pouvait-il que Shelby ait fait une attaque, à son âge? Avait-elle eu un accident? Andy n'avait donné aucune explication. Une seule certitude : il semblait effondré. Et ce qui affectait Andy m'affectait personnellement.

Collant une liasse de billets dans la main du voiturier, j'escortai Guin, visiblement contrariée, jusqu'à la salle de bal et, avec mes plus sincères excuses, la confiai à Matt Damon.

J'étais encore en état de choc lorsque je remontai dans mon véhicule, une voiture de sport aux courbes extravagantes, pour m'élancer à pleine vitesse en direction du domicile des Cushman. Cette Lamborghini m'avait été offerte par un client dont j'avais su préserver certains des secrets les plus infamants. Mais c'était un véritable aimant à flics.

Je ralentis en apercevant les falaises de Pacific Palisades, quartier résidentiel de haute sécurité situé à quelques minutes de l'océan, et où fleurissaient les petites boutiques. Dix minutes plus tard, je me garais dans l'allée circulaire qui bordait la maison d'Andy.

Le soleil se couchait. Il n'y avait pas la moindre lumière aux fenêtres, et la porte d'entrée, dont le panneau avait été fracturé, était restée grande ouverte.

L'agresseur se trouvait-il toujours à l'intérieur? Cela semblait peu probable. Par acquit de conscience, j'attrapai malgré tout mon revolver dans la boîte à gants.

Mes six années passées en tant que pilote de CH-46 avaient considérablement accru mon acuité visuelle. Mouvements, nuages de poussière, fumée, reflets, silhouettes humaines ou flashes de lumières : rien au sol n'échappait à mon contrôle pendant que je surveillais mes instruments.

En tant qu'enquêteur, cette faculté à détecter toute anomalie se révélait précieuse. Sur une scène de crime, chaque détail, aussi infime soit-il, retenait mon attention : une éclaboussure de sang, un cheveu sur un tapis, une éraflure sur un mur…

Je pénétrai à l'intérieur de la maison des Cushman, parcourant le séjour du regard. Les rideaux étaient en place. Les coussins du canapé semblaient impeccables. Les livres et les tableaux n'avaient pas été bougés.

J'appelai Andy.

— Jack? me répondit-il. Je suis dans la chambre. Viens.

Mon Kimber .45 à la main, je traversai une enfilade de pièces spacieuses jusqu'à la chambre à coucher, qui occupait toute l'aile du fond.

Cherchant l'interrupteur à tâtons, j'allumai les lumières. Andy se tenait assis au bord du lit, courbé sur lui-même, la tête calée entre ses mains ensanglantées.

Bon sang... Que s'est-il passé ?

Contrairement au salon, la chambre donnait l'impression d'avoir été balayée par une tornade. Les lampes et les tableaux avaient été fracassés et la télévision arrachée du mur. Le câble de l'écran, lui, était resté branché.

Éparpillés par terre se trouvaient des vêtements, des chaussures et des sous-vêtements de femme. *Nom de Dieu !*

Shelby gisait allongée sur le dos au milieu du lit, entièrement nue, parfaitement morte.

Je m'efforçai de donner un sens à ce que je voyais, mais en vain. Shelby s'était pris une balle dans la tête. À en juger par la mare de sang qui s'épanchait au-dessous d'elle sur les draps en satin, on avait dû lui en tirer une seconde dans la poitrine.

Mes genoux se mirent à trembler, et je me fis violence pour ne pas me précipiter vers Andy. Mais c'était la dernière chose à faire. Le simple fait de poser le pied dans cette pièce aurait suffi à perturber l'enquête. Je me contentai donc d'interpeller mon ami.

— Raconte, que s'est-il passé ?

Livide, les lunettes de travers, le visage couvert de sang, Andy me regarda de ses yeux rougis.

— On a tué Shelby, commença-t-il d'une voix tremblante. On l'a tuée, ici. Il faut que tu trouves qui a fait ça, Jack. Il faut que tu mettes la main sur cet enfoiré.

Sur ces mots, il se mit à sangloter comme un petit enfant. La dernière fois que je l'avais vu pleurer, nous étions encore gamins.

3

Je sentis le sol se dérober sous mes pieds, mais je savais qu'Andy comptait sur moi pour garder les idées claires. C'était mon rôle à moi, Jack Morgan, de gérer les situations de crise.

Je lui conseillai de rester à sa place, le temps que j'aille chercher mon MD180, le meilleur appareil photo jamais conçu pour les scènes de crime, avec vision infrarouge, GPS et reconnaissance vocale en douze langues – au cas où me viendrait l'idée de m'identifier en farsi ou en mandarin.

Je pris une bonne douzaine de clichés depuis l'entrée de la chambre, de façon à capturer le plus grand nombre de détails possibles.

Ce faisant, je m'efforçai d'imaginer ce qui avait pu se passer.

En dehors du sang sur le lit et sur Shelby, il n'y avait de traces nulle part : pas d'éclaboussures ni de marques sur les murs, pas de traînées au sol, aucun signe que le corps ait pu être déplacé. On l'avait très certainement tuée à l'endroit même où elle était allongée. J'imaginais Shelby blottie au fond du lit tandis que son agresseur se ruait sur elle. Il l'avait probablement forcée à rester immobile avant de lui tirer dessus à deux reprises : dans la poitrine et dans la tête.

Les motivations du tueur, aussi tordues fussent-elles, n'étaient pas financières. Shelby portait toujours au doigt sa bague de fiançailles, tandis qu'à son cou, un diamant plus gros encore pendait au bout d'une chaîne. Son sac Hermès se trouvait sur le buffet, le fermoir intact.

Si ce n'était pas un cambriolage, de quoi s'agissait-il ?

Une idée me traversa l'esprit, du genre de celles qui trottent forcément dans la tête d'un enquêteur spécialisé dans les homicides. Andy avait-il tué sa femme ? Était-ce pour cette raison qu'il m'avait fait venir ? Parce que j'étais la meilleure personne à L.A. pour étouffer cette affaire ?

Le plus calmement du monde, j'entrepris de lui déclarer à quel point j'étais désolé et profondément choqué. Je lui demandai ensuite de laisser Shelby là où elle était et de venir avec moi.

— Il faut que tu me dises tout ce que tu sais, Andy. Tout de suite.

Il me rejoignit et s'affaissa contre moi en gémissant.

Je le redressai et le guidai jusqu'au salon, où je le fis asseoir avant de prendre place dans le canapé en face, gardant volontairement mes distances. Les dix minutes à venir seraient pénibles pour chacun de nous.

Je commençai par la question la plus facile.

— Tu as appelé la police ?

— Je… Je ne voulais pas de flics ici avant de t'avoir téléphoné.

— Tu as un flingue, quelque part dans la maison ?

— Non. Je n'en ai jamais eu. Les armes me foutent les boules. Tu le sais bien.

— Parfait. As-tu remarqué s'il manquait des choses ?

— Le coffre-fort est dans mon bureau. Je suis rentré par le garage. J'ai juste eu le temps de poser ma mallette avant d'aller dans la chambre. Tout avait l'air normal. Je n'en sais rien, Jack. Je n'ai pas pensé au cambriolage. Je n'arrive pas à réfléchir…

Je lui soumis encore quelques questions, auxquelles il répondit avec le regard que jetterait un noyé à une bouée de sauvetage. Il m'expliqua qu'il avait vu Shelby pour la dernière fois ce matin en partant au travail, qu'il lui avait parlé une heure auparavant. Elle avait l'air en pleine forme.

— C'est une question difficile, me lançai-je. L'un d'entre vous avait-il une liaison ?

Andy me dévisagea comme si j'avais perdu la raison.

— Moi, la tromper ? Bien sûr que non, Jack. Et elle m'adorait. Elle n'avait aucune raison de faire une chose pareille. Nous étions amoureux. Jamais je n'aurais imaginé ressentir pour quelqu'un ce que je ressentais pour Shelby. Nous voulions avoir un bébé.

Après une profonde inspiration, je poursuivis mon interrogatoire.

— Quelqu'un a-t-il déjà menacé de vous tuer, toi ou elle ?

— Voyons, Jack… Je ne suis qu'un vulgaire comptable qui a pris un peu de galon. Et qui aurait pu en vouloir à Shelby ? Tout le monde l'adorait.

Apparemment, pas tout le monde. Il fallait que je lui pose la question.

— Il faut que tu me dises la vérité. As-tu une quelconque implication dans cette affaire ?

Cinq bonnes secondes s'écoulèrent. Le visage d'Andy passa du désespoir à la consternation pour se figer en une expression de colère indicible.

— Comment peux-tu me demander une chose pareille ? Tu sais à quel point elle était tout pour moi ! Je te le dis maintenant et je ne veux plus jamais avoir à te le répéter : je ne l'ai pas tuée. Et je ne sais pas qui a fait le coup. Je n'arrive même pas à comprendre ce qui se passe. C'est au-dessus de mes forces, Jack.

La nuit tombait derrière la baie vitrée. J'allumai la lumière. Andy me dévisageait comme s'il venait de recevoir un direct en pleine face.

— Je te crois, lui assurai-je. Mais les flics, eux, ne t'épargneront pas, tu comprends ? Le mari est toujours le suspect numéro un.

Il acquiesça et se remit à pleurer. Je pris la direction du vestibule où je sortis mon téléphone pour appeler le commissaire Michael Fescoe à son domicile. Au cours des dernières années, cet homme et moi étions devenus bons amis. Le côté merdique de son boulot avait tendance à le rendre dépressif, mais c'était un type bien, en qui j'avais confiance.

Je lui résumai la situation en quelques mots, lui précisant qu'Andy et moi avions fait nos études ensemble à Brown et que je me portais garant de sa sincérité.

J'attendis son équipe et l'unité de transit des blessés en compagnie de mon ami, qui leur expliqua que Shelby n'avait pas le moindre ennemi sur terre.

Pourtant, son assassin nous avait adressé un message. Il s'agissait bien d'une affaire personnelle.

4

Justine Smith était une femme élégante, le cheveu noir et la trentaine bien entamée, d'un naturel sérieux et d'une grande intelligence. Psychologue de formation, elle travaillait comme *profiler* pour Private, où elle s'était hissée au deuxième rang dans la hiérarchie. Elle inspirait aux clients une confiance presque équivalente à celle que suscitait Jack. Et, bien sûr, tout le monde l'adorait.

Ce soir-là, elle dînait avec le district attorney de Los Angeles, Bobby Petino, son amant et meilleur ami. New-yorkais de souche et grand amateur de cuisine italienne, il lui avait fait une surprise en venant la chercher directement au travail pour l'emmener dans l'un de ses restaurants préférés, à Santa Monica, tenu par un certain Giorgio Baldi.

C'était un endroit confortable et sans prétention, qui fleurait bon l'affaire familiale. À la lueur des bougies, les tables offraient une réelle intimité. La salle regorgeait de vedettes de premier plan, mais Bobby n'avait d'yeux que pour Justine, et ce en dépit de l'arrivée de Johnny Depp et Denzel Washington, qui plaisantaient bruyamment, comme si la vie n'était pour eux qu'une gigantesque farce.

Giorgio leur apporta deux assiettes fumantes de pâtes fraîches. Bobby fit tinter son verre de vin contre celui de Justine. Ils étaient seuls ce soir-là, le reste ne comptait pas.

— Ça, c'est le genre de surprise qui apporte une conclusion heureuse à une journée particulièrement atroce, déclara-t-elle. Merci beaucoup.

— Trop de travail et pas de plaisir font de Justine une fille bien triste, plaisanta-t-il. Et ça, ce n'est pas envisageable.

— C'est officiel, ma journée pourrie est derrière moi. J'ai travaillé sur une affaire particulièrement sordide pour notre bureau de San Diego, mais c'est bel et bien fini pour aujourd'hui. Youpi !

Elle lui adressa son plus beau sourire, mais il sembla se crisper, comme s'il avait quelque chose à lui cacher. Elle lisait d'ordinaire dans ses pensées sans grande difficulté ; cette fois-ci, pourtant, le visage de Bobby ne laissait rien transparaître.

— Qu'y a-t-il ? S'il te plaît… Ne m'oblige pas à deviner.

— J'ai reçu un coup de fil du préfet de police. J'attendais la fin du dîner pour te l'annoncer. On vient de retrouver le corps d'une nouvelle lycéenne.

Les souvenirs se précipitèrent à une vitesse folle dans la tête de Justine, qui renversa son verre et ne se soucia même pas de le rattraper.

Livide, elle songea aux terribles événements de ces deux dernières années. Les images des corps assassinés défilèrent dans son esprit. Il s'agissait à chaque fois de très jeunes filles : des lycéennes habitant Los Angeles, le plus souvent dans les quartiers pauvres de l'Est. La dernière victime avait été découverte tout juste un mois auparavant. Cette mort avait déclenché un tel battage médiatique que Justine avait supposé que le tueur avait fini par renoncer. N'aurait-ce pas été merveilleux ?

Cet espoir, Bobby venait de le réduire à néant. Quant au fantasme de Justine, concernant leur nuit ensemble, il s'évanouit à son tour.

5

— Il faut immédiatement que j'appelle Jack, s'écria-t-elle. Nom de Dieu ! *Nom de Dieu !*

— Je l'ai déjà appelé, répliqua Bobby en l'attrapant par la main. On vient te chercher dans vingt minutes. Tu vas passer le restant de la nuit à travailler. Je t'en prie, chérie, termine tes pâtes. Crois-moi, tu me remercieras de t'avoir obligée à manger.

Le serveur changea le napperon et resservit Justine en vin. Déconnectée de son environnement immédiat, elle attrapa sa fourchette et embrocha un tortellini, histoire de faire plaisir à son amant. Dans sa tête, elle en profita pour repasser toute l'affaire en revue.

De façon tout à fait inhabituelle, chacune des onze jeunes filles avait été tuée selon une méthode différente. L'arme utilisée avait chaque fois été retirée de la scène du crime et le tueur n'avait jamais manqué d'emporter un trophée avec lui : une mèche de cheveux, une lentille de contact, une petite culotte, ou encore une bague. Bref, on avait affaire à un véritable collectionneur, qui avait même eu l'audace d'envoyer un e-mail masqué au maire pour revendiquer l'un de ses meurtres.

Il y expliquait comment il avait enterré sa dernière prise dans une jardinière, devant des bureaux au coin de

Sunset et Doheny. Le message était signé « Freezer », un pseudonyme qui n'offrait pas la moindre piste.

Il fallut une journée entière pour que l'e-mail remonte dans la hiérarchie, et encore deux jours supplémentaires pour qu'il soit finalement pris au sérieux. On inspecta cette jardinière : sous la terre se trouvait un sac en plastique contenant plusieurs objets appartenant à la victime. Aucune empreinte, aucune trace d'ADN : tout juste le ricanement silencieux du tueur.

Justine avait offert ses services à la police de Los Angeles, qui les avait acceptés. Découvrir les affaires personnelles de la jeune fille l'avait rendue malade : le meurtrier les avait manipulées avant de les nettoyer et les renvoyer aux forces de l'ordre, comme pour leur lancer un défi.

C'est alors que Justine décida d'adopter son propre plan d'action. Pour obtenir des résultats, il fallait que Jack Morgan et Bobby Petino collaborent.

Au grand désarroi de la brigade des homicides, le bureau du district attorney conclut un accord très controversé avec Private Investigations, qui participerait à l'enquête *pro bono*, comme service rendu à la communauté.

Et voilà maintenant qu'une autre fille venait de mourir, quelque part à Los Angeles.

Raccrochant son téléphone portable, Bobby lui signala que sa voiture venait d'arriver.

6

Justine s'agrippa à l'accoudoir de la très élégante et très performante Mercedes S65 d'Emilio Cruz, le collègue de Private qui était venu la chercher. Le véhicule bifurqua brutalement sur Hyperion Avenue, direction Silver Lake, à l'est de L.A.

Centres commerciaux et fast-foods en tous genres bordaient la route à quatre voies, accessibles à pied depuis le lycée John Marshall où deux des victimes faisaient leurs études.

— Que sais-tu d'elle ? demanda Justine à son partenaire.

— Elle s'appelle Connie Yu, répondit-il d'une voix de velours. Une fille douée. Seize ans à peine et déjà en terminale.

— Si elle était si maligne que ça, pourquoi se baladait-elle ici toute seule ?

— Je viens de ce quartier, je te rappelle. On ne peut pas se permettre de donner l'impression d'avoir peur, ici.

— Désolée, Emilio. Ça me met tellement hors de moi… Je me sens complètement impuissante, et même coupable. Pourquoi n'ai-je pas le moindre début d'indice pour coffrer ce salopard ?

— Ne m'en parle pas. *Pro bono*, en plus de ça. Je déteste le *pro bono*…

Peut-être plus encore que Jack, Cruz détestait perdre. Avant de bosser pour Private, il avait d'abord été boxeur professionnel, puis flic, et enfin agent spécial pour le district attorney. C'était Bobby Petino qui l'avait présenté à Jack, trois ans auparavant. Justine l'admirait pour son côté bulldog qui ne lâche rien, pour sa ténacité dans la recherche de la vérité. Si l'on ajoutait à cela son charme naturel, Cruz se révélait un excellent enquêteur. De toute façon, Private ne recrutait que la crème de la crème.

— A-t-on d'autres informations concernant Connie Yu ? interrogea Justine.

— Écoute, je suis désolé. C'est toi qui as raison. C'était une fille intelligente, elle n'aurait jamais dû se balader seule. Surtout après toutes les campagnes de mise en garde que tu as orchestrées dans les écoles. Tu ne dois pas te sentir coupable, tu te démènes plus que n'importe qui d'autre dans cette affaire.

Cruz décéléra et gara son puissant véhicule entre deux voitures de polices qui bloquaient une ruelle, à quelques pâtés de maisons d'Hyperion Bridge.

Les mains enfoncées dans ses poches de veste, Justine se dirigea vers le cordon de sécurité qui bloquait l'accès au lieu du crime. Le lieutenant Rikki Garcia, chargée de l'enquête par la police de Los Angeles, lui barra la route.

Cette femme souffrait d'obésité, ce qui n'altérait en rien son tempérament bagarreur. C'était une policière intelligente, même si son impertinence jouait souvent contre elle. Elle entretenait pour Cruz un amour aussi secret que dérisoire ; Justine, en revanche, ne lui inspirait qu'une profonde hostilité. Et ses cent kilos de pure obstination rejetaient en bloc l'implication de Private dans cette affaire.

— C'est le district attorney qui nous envoie, fit valoir Justine en mordant sur le cordon de police.

— Voyez-vous ça ! Un coup de fil de ton chéri, et te voilà sur le lieu du crime. Si c'est pas mignon…

Justine abandonna le lieutenant Garcia à sa mauvaise humeur et s'en alla signer le registre. Franchissant le périmètre de sécurité, elle interpella le médecin légiste, le Dr Madeleine Calder, une bonne amie à elle.

— Salut, Madeleine. Nous aimerions voir la victime.

— Justine, ça fait plaisir de te revoir. Bonjour, monsieur Cruz.

Calder était une femme de petite taille, suffisamment énergique pour repousser toute avance importune ou retourner le corps d'une victime lorsque cela était nécessaire. Elle recula d'un pas pour laisser aux nouveaux venus tout le loisir d'observer la scène. Le corps de la jeune fille gisait au milieu de sacs-poubelle dans la crasseuse arrière-cour d'un restaurant Taco Bell.

Justine demanda encore quelques secondes d'éclairage à l'équipe sur place, le temps d'examiner le corps de plus près. Une épaisse flaque de sang noir s'épanchait de son crâne, sur le côté gauche duquel scintillait une boucle d'oreille dorée.

— Tu as remarqué ? l'interpella Madeleine Calder.

Il n'y avait pas de boucle d'oreille à droite.

En fait, il n'y avait pas d'oreille.

— Elle a été arrachée, commenta Calder. Nous avons fouillé toutes les poubelles du restaurant. Notre équipe a inspecté toute la rue, sans résultat. Je suppose que le tueur nous en dira un peu plus d'ici quelques jours.

Des hurlements de désespoir attirèrent l'attention de Justine.

— La famille de Connie Yu vient d'arriver, annonça-t-elle en se tournant vers Cruz. Allons-nous-en, Emilio. On ne peut rien pour ces pauvres gens. Pas en restant ici, en tout cas.

7

Il était déjà 2 heures du matin lorsque Justine sortit de la morgue où le corps de la jeune fille avait été transféré. Elle téléphona aussitôt à Seymour Kloppenberg, criminologue en chef de Private, plus connu sous le surnom de « Doc », pour lui dire qu'elle avait besoin de lui immédiatement.

Doc annonça à Kit-Kat, sa petite amie, qu'il devait se rendre aux bureaux de Private sans plus attendre. Il prépara un petit encas pour Trixie, le singe de laboratoire qui lui servait d'animal de compagnie, et s'en alla, le casque sous le bras.

Au parking du sous-sol l'attendait son side-car, un véhicule de la Seconde Guerre mondiale restauré avec amour. Doc mit les gaz et s'élança à toute vitesse sur la rampe d'accès qui donnait sur Hauser Street. Il bifurqua sur la 6e Avenue et se retrouva bientôt en plein cœur de Los Angeles, devant l'immeuble de Private.

Après avoir présenté son pass au personnel de sécurité, il prit l'ascenseur jusqu'au sous-sol où se situait son laboratoire.

Justine l'y attendait déjà.

— C'est à propos de la lycéenne numéro douze, je suppose, déclara-t-il.

Il ouvrit la porte et balança immédiatement le thème de *Sweeney Todd* sur les enceintes de sa chaîne hi-fi.

— Oui, confirma Justine. Il y a de quoi te retourner l'estomac. Enfin, peut-être pas le tien…

Doc lui adressa une grimace diabolique et l'accompagna à travers la chambre dépressurisée jusqu'au labo, sa « cour de récré ».

Cet endroit, agréé par l'Organisation internationale de normalisation, avait coûté plusieurs millions de dollars, et constituait le cœur opérationnel de Private. Plusieurs agences d'État situées sur la côte ouest y avaient recours, dans la mesure où il était plus rapide et mieux équipé que ceux du FBI ou de la police de Los Angeles.

Les douze techniciens qui y travaillaient sous les ordres de Doc couvraient les cinq grands domaines de la criminalistique : analyse, sérologie, identification médico-légale, traitement des empreintes digitales et des empreintes latentes. Le chef du labo raffolait tout particulièrement de leur dernier gadget, un outil de manipulation holographique qui leur permettait de diviser les cellules à l'aide d'un microlaser, le tout sous un microscope hyperpuissant.

Son équipe était la première à avoir expérimenté la télécriminalistique, avec recours aux méthodes de transmission par satellite. À l'aide d'une caméra miniature, les enquêteurs de Private pouvaient diffuser en direct leurs images au labo, ce qui leur permettait d'économiser du temps et des ressources, et de limiter les risques de voir la scène de crime contaminée par des éléments extérieurs.

Précédée du scientifique, Justine avança à l'intérieur de l'immense hall souterrain jusqu'au lieu de travail de son collègue, une gigantesque plateforme au milieu de laquelle se trouvait le centre de contrôle. Des affiches de films d'horreur en adornaient les murs : *Shaun of the Dead, Carrie, Hostel, Bienvenue à Zombieland*…

Doc fit glisser un tabouret jusqu'à la visiteuse et s'installa sur sa chaise préférée, qu'il fit pivoter joyeusement.

— Excuse-moi de t'arracher aux bons soins de Kit-Kat, commença Justine avec un sourire en coin. Je voudrais que tu jettes un œil à ce que nous avons ici avant que je ne le rende à la police demain matin.

Elle pianota un code sur le panneau de commande. Les cloisons en verre s'opacifièrent immédiatement pour leur permettre de mener leur entretien en toute confidentialité. Elle mit ensuite son collègue au courant des derniers éléments dont elle disposait : lieu et causes du décès, ainsi que le détail de l'oreille amputée. Elle lui tendit ensuite le sac à dos de Connie.

— Emilio l'a trouvé non loin de la scène du crime, expliqua-t-elle. Ce salopard a enfin commis une erreur… À moins que ce ne soit intentionnel.

— Tu as des échantillons du sang et des tissus de la victime ?

— À l'intérieur du sac. Avec ses affaires personnelles. Tu verras.

Doc ouvrit le sac. Dans sa tête, il passait déjà en revue tous les tests auxquels donneraient lieu les différents éléments à sa disposition. Les résultats, s'il y en avait, seraient prêts pour la réunion de 9 heures.

— C'est comme si c'était fait, confirma-t-il en montant le volume de la musique jusqu'à un niveau assourdissant.

8

Justine traversa l'immense pelouse parfaitement entretenue, admirant au passage l'impressionnante vue sur le canyon. Un panorama magnifique, agréablement contrasté par la lumière opaline du crépuscule. Il était 5 h 15 du matin.

Elle se mit en tenue de sport et, munie de sa raquette, ouvrit délicatement la grille du court de tennis pour y exercer son service et laisser libre cours à sa frustration. Une à une, elle envoya chacune des petites balles jaunes de l'autre côté du terrain.

Au bout de dix minutes, elle sentit comme une présence derrière elle. Elle se retourna et aperçut la silhouette de Bobby de l'autre côté de la grille, les doigts agrippés aux maillons.

— Ça va, Justine ? Que fais-tu ici, à cette heure ? Qu'est-ce qui se passe, chérie ?

— C'est ma façon de libérer mon agressivité pour éviter qu'elle n'explose au grand jour, expliqua-t-elle tout en reprenant son entraînement.

— Pose cette raquette et viens ici. S'il te plaît.

Justine alla se réfugier dans les bras de son amant, qui la serra contre lui pendant plusieurs minutes. Le contact de ses mains puissantes sur son dos la mit dans un état proche de la transe.

— Qu'est-ce qui te ferait plaisir ? demanda-t-il finalement. Bain chaud, petit déjeuner ou au lit directement ?

— Les trois. Dans cet ordre-là.

Il retira son peignoir et couvrit sa compagne. Tous deux se dirigèrent vers le patio.

— Tu as fait des découvertes intéressantes ?

— En dehors du fait que ce meurtre est une putain de tragédie ?

— Oui.

— Rien que je ne puisse te révéler. Pour le moment.

— Présentons les choses autrement : tu as une nouvelle théorie ? Tu en es où ?

La jeune femme gravit les marches en teck menant à la baignoire avant de se débarrasser du peignoir et de ses vêtements. Elle descendit dans l'eau chaude pour s'allonger contre le rebord ; Bobby la rejoignit et lui passa le bras autour de la taille. La jeune femme ferma les yeux et exhala un long soupir, laissant la chaleur produire ses effets.

— Tu as bien une théorie… reprit-il.

— La voilà, ma théorie : le tueur souffre d'un trouble de personnalité multiple. Et chacune de ses personnalités est psychotique.

9

Mes rêves ne se reproduisaient pas exactement à l'identique, ils se présentaient plutôt comme une série de variations sur un thème particulièrement traumatisant. Il y avait d'abord une explosion : une maison, une voiture ou un hélicoptère. Chaque fois, je courais sous le feu adverse, portant un de mes camarades en lieu sûr : Danny Young, Rick Del Rio, ou même mon frère jumeau. Parfois, la personne dans mes bras n'était autre que moi-même.

Jamais je ne m'en tirais vivant. Pas une seule fois.

Mon portable se mit à vibrer sur la table de nuit pour me tirer de mon cauchemar, comme chaque matin depuis presque trois ans.

Une terreur indicible me submergea.

Mon cerveau reprit finalement le dessus. Si je ne répondais pas, le téléphone continuerait de sonner indéfiniment.

Mon cauchemar ne faisait que se poursuivre.

Je décrochai. Mon interlocuteur prit la parole.

— Tu es mort, m'annonça-t-il.

Je dis « il », mais il aurait très bien pu s'agir d'« elle », ou même de « ça » : la voix était masquée électroniquement. Il téléphonait souvent le matin pour me réveiller, mais il lui arrivait aussi d'appeler en pleine nuit ou même de sauter un jour, histoire de me déstabiliser. Mission accomplie.

Chaque fois que mon portable sonnait, une vague d'angoisse me saisissait à nouveau. À mon bourreau, je demandais parfois : « Qu'est-ce que tu me veux, bordel ? » Il m'arrivait aussi de raisonner avec lui, de lui demander posément de me présenter ses raisons.

Ce matin-là, lorsque la voix m'annonça que j'étais mort, je répondis « pas encore » et raccrochai.

J'avais dressé une liste d'ennemis potentiels qui comprenait une centaine de noms.

Il m'appelait depuis une cabine. Eh oui, une cabine. On en trouve encore dans les gares ou les halls d'hôtels, et un peu partout dans les centres-ville. Je changeais de numéro de portable une fois par an environ, mais il me fallait rester joignable : mes employés, mes amis et mes clients comptaient sur moi. Surtout mes clients.

Qui donc pouvait bien vouloir ma mort ? Le connaissais-je seulement ? Faisait-il partie de mon entourage ? Ou bien s'agissait-il d'un de ces escrocs et autres profiteurs dont j'avais ruiné la carrière ?

Je me demandais parfois si la menace était même réelle.

Me surveillait-il ? Avait-il l'intention de mettre son avertissement à exécution ? Ou se contentait-il de bien se bidonner à mes dépens ?

J'en avais bien entendu touché un mot aux flics, qui avaient depuis bien longtemps cessé de s'intéresser à mon cas. Après tout, je n'avais jamais subi d'attaques physiques.

Mes pensées se tournèrent vers Shelby Cushman.

La tête entre les mains, j'imaginai l'horreur de ce qu'elle avait dû subir. Je voulais me souvenir d'elle vivante. Nous avions eu une aventure avant qu'elle ne rencontre Andy. À cette époque, je passais souvent mes fins de soirées dans des petits théâtres un peu miteux où elle faisait son one-woman show. Son numéro terminé, nous sortions ensemble par la porte de derrière. Évidemment, étant donné mon caractère, ça ne pouvait pas marcher. La quarantaine approchant, elle voulait fonder une famille et avoir des enfants, et c'était également ce que souhaitait Andy. À les entendre, le coup de foudre avait été réciproque.

À présent, Shelby était morte et Andy se retrouvait seul et abandonné. Aux yeux de la police, il allait bientôt devenir le suspect numéro un dans une affaire de meurtre.

Je m'assis au bord du lit. Que se passait-il ? Où étais-je ?

J'observai le motif à fleurs de la literie, le tapis à poils longs et les murs peints en vert. Mes idées revinrent en place. Tout allait bien.

J'étais chez Colleen Molloy.

Un endroit où j'aimais me réveiller.

10

Assise à la table de la cuisine, sa tasse de thé déjà vide, Colleen révisait son examen de citoyenneté sur son ordinateur portable. Pas de doute, il faisait bon vivre ici.

Dégageant délicatement sa longue et adorable natte noire, je déposai un baiser sur sa nuque. Elle se retourna et, refermant ses yeux d'un bleu intense, me présenta son visage. Je l'embrassai à nouveau. Colleen Molloy, je ne me lassais jamais de l'embrasser.

Étais-je pour autant amoureux d'elle ? Vraiment amoureux ? Il m'arrivait de le croire sincèrement. Mais cette certitude se colorait bien vite d'un doute : étais-je seulement capable d'aimer vraiment quelqu'un ? Ou restais-je trop égocentrique, trop meurtri par tout ce que mon père m'avait fait subir ?

— Toi, mon gaillard, une heure de sommeil supplémentaire ne t'aurait pas fait de mal, déclara-t-elle.

Son délicieux accent irlandais roula sur sa langue tel un breuvage noir et amer. L'odeur de propreté, mêlée à celle de son shampoing à l'eau de rose, me chatouilla les narines.

— Je vais être en retard pour mon rendez-vous avec le commissaire Fescoe, expliquai-je en lui donnant un nouveau baiser.

Je pris sa tasse afin de la rincer et de la remplir à nouveau. Je n'avais pas réussi à évacuer le meurtre de mon esprit.

— Prends garde à ne pas t'envoyer en l'air avec quelqu'un d'autre en chemin.

— Et pourquoi ferais-je une chose pareille ?

— Parce que tu te tiens là, devant moi, nu comme un ver.

J'éclatai de rire et Colleen vint se blottir dans mes bras, posant ses petites mains sur mes fesses. Je la laissai faire.

— Je vais bloquer la porte, prévint-elle en me pinçant les joues. Je suis sérieuse, Jack.

Elle me tenait déjà à sa merci. Comment s'y prenait-elle ? Cinq secondes de contact et j'étais déjà en érection.

— Tu es une sorcière, plaisantai-je tout en lui retirant son peignoir.

Je la soulevai dans mes bras et l'adossai à la porte du réfrigérateur. Au contact froid du métal, elle eut un petit gémissement ; ses jambes s'enroulèrent autour de ma taille.

Notre respiration se fit haletante et le maigre contenu du réfrigérateur se mit à tanguer au rythme de notre étreinte.

— Désolée de t'avoir mis en retard, s'excusa-t-elle une fois nos ébats terminés, avec un sourire qui disait tout le contraire.

— Du moment que ce n'est pas moi qui t'ai retardée… répondis-je en lui administrant une petite tape sur le derrière.

Lorsque je quittai l'appartement, elle chantonnait sous la douche une vieille chanson rock irlandaise qu'elle adorait, « Come On Eileen », les joues plus roses que jamais.

Je mis en route l'alarme anti-intrusion, refermai la porte à clé et dévalai l'escalier. Finalement, cette séance de sexe m'avait fait du bien. Et maintenant, boulot, boulot, boulot.

11

En chemin, je m'arrêtai au commissariat. Jusqu'à présent, aucune charge n'avait été retenue contre Andy. Quelques minutes plus tard, je me retrouvai dans la « salle des opérations » de Private, une pièce octogonale au centre de laquelle trônait une table noire laquée, le seul élément de mobilier datant de l'époque de mon père. Tout autour étaient disposées des chaises de bureau pivotantes ; de gigantesques écrans plats recouvraient les murs.

Tout le monde m'attendait. Je fis mon entrée avec vingt bonnes minutes de retard dans un silence assourdissant – auquel je m'étais préparé.

— Je suis désolé pour Shelby, déclara Del Rio. Une femme aussi adorable, je n'arrive pas à y croire. Personne, ici, n'arrive à y croire.

Le reste de l'assistance se joignit à ses condoléances. Colleen Molloy m'apporta un Red Bull ainsi que ma feuille de route pour la journée. En dehors d'Andy, tous les gens qui comptaient vraiment pour moi étaient réunis autour de cette table. Ce qui incluait une demi-douzaine de détectives ainsi que notre criminologue, Seymour Kloppenberg, alias Doc, et notre génie de l'informatique, une quinquagénaire du nom de

Maureen Roth, mais que tout le monde avait pour habitude d'appeler « Mo-Bot », du nom de ces programmes informatiques, les « bots ».

— Tu auras encore besoin de moi? demanda Colleen.

Cela faisait maintenant deux ans que je l'avais recrutée comme assistante, et c'était ainsi que je l'avais rencontrée. Depuis, la situation était devenue plus… compliquée. Beaucoup plus compliquée.

— Non, ça va, Molloy, je te remercie.

Sur la feuille de route, je vis qu'Andy avait appelé deux fois depuis mon départ du commissariat, une demi-heure auparavant. Il s'inquiétait, et à juste titre : les flics ne détenaient qu'un seul suspect dans cette affaire, et c'était lui.

Après avoir allumé mon ordinateur, je fis apparaître les photos que j'avais prises chez les Cushman, parmi lesquelles on pouvait voir des gros plans sur le jambage de la porte fracturée ainsi que sur les blessures de Shelby. Il y avait également quelques clichés de la chambre saccagée, dont un d'Andy qui pleurait, la tête entre les mains, du sang jusqu'aux poignets. Une image digne d'apparaître en une d'un quotidien.

— Il faut que je vous avoue quelque chose, annonçai-je. Shelby et moi avons été proches, à une époque. Avant qu'elle n'épouse Andy. Quoi que vous puissiez entendre à son sujet, elle reste pour moi une amie. Une très bonne amie.

Le visage sombre, ils restèrent tous parfaitement silencieux. Seule Justine me fixait du regard, comme pour essayer de resituer Shelby dans la chronologie de ma vie sentimentale. Difficile de lui en vouloir.

— Regardez un peu ces photos, poursuivis-je. Je les ai étudiées en détail, sans rien découvrir de pertinent.

— Mais peut-être des objets ont-ils été dérobés, intervint Justine.

— La seule chose qu'ils aient prise, c'est la vie de Shelby.

— Est-ce que les Cushman touchaient à la drogue ? demanda Del Rio. Jack, je suis désolé, mais il y a certaines questions douloureuses qu'il nous faut aborder. Tu le sais aussi bien que moi.

Je lui répondis qu'ils ne consommaient pas de drogue, pas plus qu'ils ne trafiquaient. Andy gagnait suffisamment bien sa vie comme gestionnaire de fonds spéculatifs pour assurer à son couple une vie plus que confortable. Aucun doute là-dessus. Mon ami s'occupait d'une partie de mon argent et ses investissements m'avaient grandement aidé à ouvrir de nouveaux bureaux à travers le monde, ainsi qu'à New York et Washington et, plus récemment, à San Diego.

— Si l'on part du principe que les bijoux de Shelby ne sont pas des faux, postula Justine, alors la chambre n'a été mise à sac que pour produire de l'effet. La balle dans la poitrine pourrait être l'œuvre d'un maniaque sexuel. Le deuxième tir en revanche ne traduit qu'une volonté d'en finir. Pour quelle raison aurait-on voulu tuer Shelby ?

— Peut-être le meurtrier cherchait-il à incriminer Andy, suggéra Emilio Cruz.

— Dans ce cas-là, c'est réussi, approuvai-je.

Je leur répétai ce que le commissaire Fescoe m'avait confié ce matin-là. Pour la police, le meurtre de Shelby relevait du crime passionnel : Andy m'avait appelé après l'avoir tuée pour se servir de moi comme couverture. Une très bonne couverture, devais-je reconnaître.

— Tu es certain de son innocence? me demanda Emilio.

— Absolument, confirmai-je. Je sais que tu n'éprouves aucune sympathie à son égard, mais Andy aimait sincèrement sa femme. Et maintenant, c'est notre client. La police n'a trouvé aucune correspondance dans ses fichiers avec les balles retirées du corps de Shelby. De plus, le tueur a pris soin de nettoyer toutes les surfaces avant de partir.

Je confiai à Doc la mission de contacter le labo de criminologie de la police et de me communiquer toute information qu'il pourrait obtenir d'eux. Cruz, accompagné d'un autre détective, se chargerait d'interroger les voisins et de passer la maison des Cushman au peigne fin, au cas où les flics auraient laissé filer certains détails. Nous étions bien meilleurs qu'eux et n'avions pas à nous plier à toutes sortes de procédures contraignantes. De plus, je pouvais me permettre d'affecter un plus grand nombre de détectives à cette affaire.

Je me tournai vers Del Rio, mon frère de sang. À son retour d'Afghanistan, il avait pris un certain nombre de mauvaises décisions, qui lui avaient coûté quatre ans à Chino. Son destin personnel lui conférait une place toute particulière au sein de l'équipe : au cours de son séjour en prison, il avait étudié le droit pénal, d'abord pour assurer sa propre défense, puis pour servir d'avocat à ses codétenus. Il s'était ainsi constitué un véritable réseau dans le milieu du crime organisé.

— Fais marcher tes relations, lui demandai-je. Je suis à peu près certain que le tueur connaissait bien les habitudes des Cushman. D'abord parce qu'il a défoncé la porte en sachant que Shelby ne mettait jamais l'alarme. Il savait sans doute également qu'Andy ne tarderait pas à rentrer. Et il a tout parfaitement nettoyé. À partir de maintenant, je fais de cette affaire notre priorité numéro un. Tout le monde s'y met. C'est tout ce que j'ai à vous dire pour le moment.

Je me levai et refermai l'écran de mon ordinateur portable.

— Une seconde, Jack, m'interpella Justine. J'ai du nouveau concernant l'affaire des lycéennes.

12

Justine me connaissait mieux que quiconque, y compris Del Rio et mon propre frère. Elle et moi avions vécu ensemble pendant deux ans et, même après notre rupture, nous étions restés très bons amis. Il n'existait entre nous aucun secret : je l'avais mise au courant de mes menaces quotidiennes. Elle était la seule à savoir, pour mes cauchemars. *Tu es mort, Jack.*

Elle sortit un sac à dos bleu et le posa sur la table de conférence.

— C'est le sac de Connie Yu ? lui demandai-je.

— Oui. Je le passe à la police dès que nous en aurons fini. Nous avons les moyens d'en tirer plus d'informations qu'eux. Nous ignorons encore si le tueur a commis une erreur ou s'il essaye simplement de nous appâter.

Elle nous décrivit ensuite la jeune victime, ainsi que la scène du crime, à grand renfort de détails sordides. Puis, la gorge nouée, elle marqua une pause. Elle hocha la tête, avala sa salive et s'excusa avant d'en rajouter une nouvelle couche.

Je souffrais de voir à quel point cette enquête l'affectait au plus profond d'elle-même. Rien que pour cette raison, je voulais pincer ce tueur presque autant qu'elle.

Nous voulions d'ailleurs tous lui mettre la main dessus, à ce salopard.

— Jack, au risque de me répéter, ce psychopathe n'est pas le premier à utiliser à chaque fois des méthodes différentes, mais c'est vraiment rare. La plupart des tueurs de ce type suivent un schéma bien précis et s'y tiennent. Il nous donne des indications sur l'état psychique du meurtrier, voire même sur sa personnalité. Or, ces crimes sont tous différents. C'est complètement cinglé et c'est la première fois que je vois ça. Tirer sur quelqu'un implique une certaine distance. L'immolation a un caractère sexuel, la strangulation une dimension personnelle. Nous sommes, entre autres, confrontés à ces trois méthodes. Je ne vois pas d'évolution et je n'arrive toujours pas à me faire une image précise de son profil. Il ne correspond à aucun modèle connu. La seule bonne nouvelle, c'est que Cruz a mis la main sur ce malheureux sac.

— Il se trouvait sous un pont, non loin de là, précisa ce dernier. Dans un moment de panique, le tueur l'a peut-être jeté. Peut-être y a-t-il un témoin dont nous ignorons l'existence.

Doc prit le relais. Il arborait une chemise hawaïenne rouge, un short kaki et une paire de tongs, ce qui, pour lui, n'avait rien d'extraordinaire.

— J'ai examiné en détail le contenu de ce sac, expliqua-t-il. Il y avait des traces sur le porte-monnaie de Connie, et même une empreinte partielle tout à fait identifiable, mais pas de correspondance dans nos bases de données. Elle peut appartenir à n'importe qui : aussi bien au tueur qu'à un ami de Connie, mais en tout cas pas à quelqu'un qui ait déjà été arrêté. Ni à quelqu'un qui ait travaillé dans l'enseignement, les forces de police ou l'armée.

— Dommage, regretta Cruz. Je m'attendais à mieux que ça, amigo.

— Mais tout n'est pas perdu, reprit Doc. Avec le téléphone portable, mes amis, nous avons touché le jackpot. Mo est arrivée à 4 heures, ce matin. Elle en a transféré toutes les données sur son ordinateur.

— Mo, tu as trouvé quelque chose? interrogea Justine.

— Une série de textos, confirma Maureen Roth, maman autoproclamée de la grande famille Private.

Avec ses tatouages, ses vêtements ultrabranchés et sa coiffure en piques, Maureen ne faisait pas ses cinquante ans. Seules la trahissaient les lunettes à double foyer, qu'il aurait été moins incongru de voir au nez d'une grand-mère écoulant des jours paisibles en Floride.

— Plusieurs centaines de messages, reprit-elle. Les numéros de portables ou les adresses IP des expéditeurs étaient tous identifiables, à l'exception du dernier qui venait d'une carte prépayée.

Elle inséra une clé USB dans l'ordinateur et appuya sur plusieurs touches. Les messages défilèrent sur l'écran principal.

En haut de la liste, daté de la veille, 18 h 15, se trouvait le message suivant :

« Connie c linda. ma mere a pri mon tel gé des ennui faut ke jte parle. rdv derrière taco bell? steeeuple! dis rien à personne! »

— Connie reçoit ce message de son amie Linda qui lui explique qu'elle a des ennuis, résuma Mo. Jusque-là, elle n'a aucune raison de se méfier. Elle s'en va retrouver Linda. Et voilà comment le piège se referme sur elle.

— Le texto était donc un leurre ?

— Précisément. Il a suffi au tueur de repêcher le nom d'une des amies de Connie, d'acheter un téléphone avec une carte prépayée et d'attirer ainsi la jeune fille dans ses griffes. Il s'agit de la douzième victime. Elles fréquentaient toutes des écoles différentes et aucune d'entre elles ne se connaissait. C'est pour cette raison qu'il me semble possible, et même très probable, que chacune de ces filles se soit fait avoir par un faux SMS. C'est tout simple, mais assez ingénieux.

— Si je te suis bien, conclut Justine, un *hacker* pirate leur téléphone pour trouver la personne en qui elles ont le plus confiance. Ensuite, il revêt l'identité de cette personne en leur envoyant un message depuis un téléphone sans forfait.

— C'est également ma théorie, confirma Doc. Un fantôme dans la machine. Ce qui ne nous mène pas pour autant au tueur. J'ai bien peur que nous ne soyons malgré tout face à un mur.

13

Justine se leva d'un bond pour prendre la place de Mo devant le clavier d'ordinateur.

— Les fantômes, moi, je n'y crois pas. Si le tueur de lycéennes se déplace et qu'il respire, il a des empreintes digitales, des cheveux et des cellules cutanées. Plus il tue, plus il risque de commettre une erreur.

Elle tapa une commande et projeta un résumé de l'affaire sur les écrans plats.

Le relevé chronologique montrait que le tueur frappait tous les deux mois environ, mais le rythme semblait récemment s'être accéléré. À droite, une carte de l'est de Los Angeles parsemée de petits drapeaux donnait la localisation géographique de chaque meurtre.

Le portrait des douze victimes occupait un écran à lui tout seul.

Les filles n'avaient rien en commun. Certaines étaient claires de peau, d'autres avaient le teint plus mat. Certaines étaient jolies, d'autres plus ordinaires. Il y en avait des minces, des rondelettes, des intellos, des sportives. Toutes lycéennes. Toutes mortes sans raison, sans explication.

— Il faut lancer une campagne d'information sur ces textos anonymes contenant des informations personnelles, suggéra Mo. Il faut en parler aux proviseurs des lycées, faire des spots télévisés.

— En partant du principe que nous sommes sur la bonne piste, lui opposa Justine, dès que nous diffuserons un message à propos des SMS, le tueur changera aussitôt de méthode. Et on se retrouvera le bec dans l'eau. Il se pourrait même qu'il accélère encore la fréquence de ses meurtres. Nous savons qu'il aime qu'on lui fasse de la pub.

— Concernant ce que tu as dit plus tôt sur les différents profils, intervint Doc de sa voix nasale et monotone, comment se fait-il qu'un type qui a mis le feu à une fille ne le fasse qu'une seule fois ? Comment cette même personne a-t-elle pu, la fois suivante, tirer sur sa victime à cinquante mètres de distance ?

— C'est bien la question que je me pose, figure-toi.

— Et si nous avions affaire non pas à *une* ordure, mais à plusieurs ? S'il y avait plusieurs tueurs ?

14

Rudolph Crocker avait trouvé refuge dans les toilettes en marbre du septième étage de Wilshire Pacific Partners, une société de gestion de fonds privés, lorsque son téléphone se mit à vibrer. Il était occupé à fantasmer sur Carmen Rodriguez, une nouvelle intérimaire dotée de magnifiques yeux noisette, d'une poitrine parfaite et d'un cerveau de mollusque. Il envisageait de lui proposer un rendez-vous le soir même, dans l'espoir de le voir se prolonger jusqu'au lendemain.

Il repêcha son portable dans la poche de sa veste et vit que l'appel avait été transféré depuis sa ligne fixe. C'était Franklin Dale, l'un des « anciens ». Il décrocha. Son correspondant l'invita à prendre un verre après le travail.

Depuis un peu plus d'un an, Crocker, en tant qu'analyste financier, faisait la preuve constante de son zèle et de son humilité. Jeune homme brillant jouissant d'un bel avenir dans l'empilage de chiffres, il se présentait comme un travailleur terne et appliqué, du genre de ceux qui assurent à leur entreprise un portefeuille bien garni et des profits constants, sans jamais rien laisser paraître de leurs ambitions personnelles.

Et voilà maintenant qu'il lui fallait prendre un verre avec ce vieux casse-bonbons de Franklin Dale.

À 19 heures, il ferma son bureau à clé et retrouva son collègue devant l'ascenseur. Alors qu'ils se dirigeaient ensemble vers la voiture, il se demanda si, en fait, ce sale con n'était pas homo et s'il ne s'apprêtait pas à lui faire des avances.

Deux verres et un bol de noix de cajou lyophilisées plus tard, ce dinosaure de Dale s'était contenté de le complimenter en long et en large sur la qualité de son boulot. Il avait ajouté qu'il voyait Crocker comme un cas particulier. Le genre de type extrêmement doué qui avait tout avantage à rester le plus longtemps possible au sein de cette bonne vieille maison.

Comme s'il en avait quoi que ce soit à secouer de ce que Franklin Dale pensait de lui ou de son travail !

Il était 21 h 30 lorsqu'il rentra finalement chez lui. Le reste de la nuit lui appartenait, et il comptait bien en profiter.

Il s'habilla pour son jogging. Dix minutes plus tard, il courait le long de la marina Del Rey, se repassant mentalement le film de leur dernière descente, lorsque son groupe avait ajouté Connie Yu à son tableau de chasse.

En sueur et à bout de souffle, Crocker ralentit en arrivant devant l'une des cales de la marina. Il s'arrêta et, les mains sur les genoux, reprit sa respiration.

Lorsqu'il fut certain d'être seul, il sortit de sa poche un sac en plastique hermétique et le fourra sous un énorme rouleau de corde.

Sa tâche accomplie, il reprit calmement son jogging en direction de son appartement. Il poussa la porte de son immeuble, adressa un petit signe au portier et monta dans l'ascenseur.

Après avoir pris sa douche, il attrapa le téléphone à carte prépayée qui reposait sur son socle de chargement.

Il rédigea un message destiné au maire de Los Angeles, Thomas Hefferon, pour lui indiquer où se trouvait l'oreille de Connie Yu.

Il signa « Freezer ».

15

Quatre jours s'étaient écoulés depuis la mort de Shelby Cushman. Aucune plainte n'avait encore été déposée et je n'avais pas la moindre information en provenance du bureau du district attorney.

Je pris le petit déjeuner avec Andy dans son bureau au sommet d'une très élégante et très récente tour surplombant le Walk of Fame.

Mon ami précisa à son assistante qu'il souhaitait ne pas être dérangé. Il était ce jour-là tout simplement méconnaissable : de gros cernes entouraient ses yeux, et il avait cessé de se raser.

— Je n'ai pas dormi depuis un certain temps, m'annonça-t-il. Au cas où tu ne l'aurais pas remarqué…

Il ingurgita le contenu de sa tasse de café, sortit plusieurs dossiers de ses tiroirs et entreprit de m'expliquer comment un gestionnaire de fonds spéculatifs à Los Angeles se débrouillait pour garder une longueur d'avance sur la concurrence.

— Tous ces gens, lança-t-il en balayant de la main l'immense portion d'Hollywood en contrebas de sa baie vitrée, ces acteurs, ces agents, ces directeurs de studios, ces avocats de stars, ils se font des dizaines de millions. Ils ne savent pas quoi en faire, alors ils me les confient.

Et je me charge de les placer pour eux. Je touche un pourcentage sur chacun de ces investissements. Cinq pour cent, habituellement.

— Et si leur investissement s'effondre ? demandai-je, pensant à la crise de l'immobilier, au resserrement du crédit et à tout cet argent siphonné par on ne sait qui, emportant avec lui les mieux lotis comme les plus démunis.

— Les gens vous en veulent forcément lorsque vous perdez leur argent. Même quand vous n'y êtes pour rien.

— Donc, si je comprends bien, tu as des clients aigris.

Andy exhala un long soupir.

— Tu veux la vérité, Jack ?

— Bon sang, non, Andy ! Je t'en prie, raconte-moi des salades. Plus tu mens, plus tu as de chances de te retrouver sur le banc des accusés. Je le connais, moi, le district attorney. Il va te coller aux fesses l'un de ces jeunes requins qui se fera un malin plaisir de te déchiqueter.

— Arrête, Jack.

— Si quelqu'un en a après toi, il faut que je le sache. Nom de Dieu, Andy !

— Je fraude, annonça-t-il sans autre préalable. Rassure-toi, je n'ai rien d'un Bernard Madoff, arrête de me regarder comme ça. J'investis mes honoraires ainsi qu'une partie du capital de mes clients pour mon propre compte. J'ai toujours été d'une très grande prudence, mais on n'est jamais à l'abri d'une merde. Et, bien sûr, il ne faut pas que les clients l'apprennent.

— Et donc ?

— Mes investissements ont plongé dès le début de la crise. Tu te souviens de la faillite de Lehman Brothers ? Je suis tombé en même temps. J'ai essayé de rattraper mes pertes et j'ai perdu encore plus. Deux de mes clients se sont retrouvés sur la paille.

— Passe-moi les dossiers, Andy. Je veux connaître ceux qui ont le plus perdu. Et je veux savoir très précisément de qui il s'agit. Fini, les secrets.

16

Lorsqu'il est écrit « Privé » sur une porte, vous avez tout naturellement envie de savoir ce qui se trouve derrière.

Lorsqu'une enveloppe sur un bureau porte la mention « Privé », vous ne pouvez vous empêcher de vouloir l'ouvrir.

J'entrai dans les bureaux de Private côté réception, adressant au passage un petit signe à Joanie derrière son bureau, puis je me dirigeai vers le grand escalier circulaire qui tournait autour de l'atrium vitré et me rappelait les dessins de coquilles de nautiles par Léonard de Vinci.

Au moment où je m'apprêtais à franchir la porte de mon bureau du cinquième étage, Colleen m'interpella.

— Tu as de la visite. Beaucoup de visiteurs. Des businessmen, pas des amateurs.

Les trois hommes m'attendaient dans le coin du bureau reconverti en salle d'attente, avec fauteuils rembourrés, canapé bleu foncé et pièce de séquoia vernie en guise de table basse. C'était là que mes clients venaient me confier leurs secrets, en échange de quoi je leur garantissais une confidentialité sans faille.

Deux de mes visiteurs inopinés fumaient comme des représentants de marques de tabac.

— Ces messieurs affirment ne pas vouloir être vus dans le hall d'entrée, m'expliqua Colleen. Étonnant, non ?

Le troisième se retourna pour nous faire face. Avec un frisson de stupeur, je reconnus mon oncle Fred Kreutzer, le frère de ma mère, celui qui me répétait sans arrêt de lui passer un coup de fil le jour où j'aurais besoin de vider mon sac. C'était lui qui nous avait appris les bases du football américain, à Tommy et à moi, quand nous étions encore gamins, et qui m'avait ensuite encouragé à persévérer au lycée, puis à la fac.

L'oncle Fred avait en quelque sorte joué le rôle du père de substitution, faute d'en avoir un à la hauteur. Il était allé assez loin dans le milieu du football ; aujourd'hui, il faisait partie du comité de direction des Oakland Raiders.

Cet homme massif au teint rougeaud s'empressa de me serrer vigoureusement contre lui avant de me présenter ses associés, dont le visage m'était déjà familier.

Evan Newman contrastait par son élégance avec les manières un peu bourrues de mon oncle. Vêtu d'un costume sur mesure, il arborait une coupe de cheveux très travaillée et des ongles aussi luisants que ses chaussures, elles aussi sur mesure. C'était à lui qu'appartenaient les 49ers de San Francisco.

À ses côtés se tenait David Dix, entrepreneur de légende, le genre de type sur lequel on écrit des essais dans les écoles de gestion. Dix avait fait fortune à Detroit dans les années 1980. Il s'était retiré du marché des pièces détachées pour automobiles, juste avant la crise de 2008, pour s'offrir les Vikings du Minnesota. Je me souvenais d'avoir lu un papier selon lequel son apparente jovialité servait en réalité à masquer une absence fondamentale de compassion.

Evan Newman s'avança vers moi avec un sourire franc et me tendit la main.

— Désolé de débarquer ainsi, s'excusa-t-il. Nous avons un problème. C'est urgent, Jack. Pour être parfaitement honnête, toutes les alarmes sont au rouge.

— Nous aimerions nous tromper, compléta Dix. Mais si ce n'est pas le cas, ce sont tous les fondements du football professionnel qui se verraient ébranlés.

Il me fit signe de m'asseoir.

— Nous avons de l'argent, annonça-t-il. Et vous êtes les meilleurs pour ce genre d'affaire. Asseyez-vous, et laissez-nous vous présenter notre pire cauchemar.

17

Evan Newman commença par essuyer des cendres invisibles sur son pantalon avant de prendre la parole.

— Nous avons des raisons de penser qu'une série de paris truqués pourrissent le championnat. Cette histoire pourrait avoir sur le monde du football un effet aussi négatif que l'affaire des Black Sox pour le baseball.

Cette intrusion dans mon bureau avait beau m'agacer, je voulais en savoir plus. Il me tardait de consulter la liste de ses anciens clients qu'Andy m'avait confiée ; Justine avait besoin de moi dans l'affaire des lycéennes, et je devais participer à une téléconférence avec notre bureau de Londres dans vingt minutes. Il s'agissait d'un scandale touchant la Chambre des lords, une véritable exclusivité.

— Donnez-moi les grandes lignes, répondis-je en regardant ma montre. Je verrai ce que je peux faire.

— Jack, nous pensons que cette arnaque remonte à deux ans, annonça Fred. Au cours d'un *play-off* contre une petite équipe. Sur le papier, les Giants ne pouvaient pas perdre. Sans être mauvaise, l'équipe d'en face, Carolina, avait deux de ses défenseurs sur le flanc et l'un de ses *quarterbacks* souffrait d'une fêlure à l'index de la main avec laquelle il lançait. Le match était dans la poche. Mais peut-être te souviens-tu, Tommy…

— Jack.

— Jack ! Bon sang, je suis désolé. Quoi qu'il en soit, tu te souviens peut-être que le *touchdown* marqué par Cartwright dans le troisième quart-temps a été annulé. L'arbitre a accordé une faute pour usage illégal des mains, alors que Cartwright était seul face à la zone d'en-but. Dans le quatrième quart-temps, au moment où les New-Yorkais se rapprochaient du *kick* qui les aurait menés en prolongation, l'arbitre a accordé une nouvelle pénalité contre eux.

Fred continua, le visage cramoisi.

— New York a perdu par trois points. À ce moment-là, ça sentait sérieusement le roussi. On en a parlé dans la presse sportive, et puis l'affaire s'est dégonflée.

— Ce qui nous amène au troisième match de la dernière saison entre les Vikings et les Cow-boys, poursuivit Dix. Le contexte diffère un peu mais, en gros, le scénario reste le même.

— Cette fois-ci, intervint mon oncle qui, visiblement, tenait à m'exposer tous les détails, c'est une passe de quarante mètres que les Vikings se voient refuser à la fin du deuxième quart-temps. Ils seraient rentrés aux vestiaires avec une avance de dix-sept points.

Fred m'expliqua en gesticulant violemment que la passe avait été annulée à cause d'une autre faute pour usage des mains, elle aussi contestable.

— Au moment de s'aligner à la fin du quatrième quart-temps pour un coup de pied qui leur aurait donné la victoire, l'arbitre a signalé un mouvement illégal qu'absolument personne d'autre n'avait vu. Le match a continué et ils ont fini par perdre.

Je voyais où il voulait en venir avec ce genre d'histoires. Les erreurs d'arbitrage sont fréquentes dans le football. Les gens s'excitent un temps contre les instances sportives, et puis ils passent à autre chose. Pour que Fred Kreutzer, Evan Newman et David Dix fassent la démarche de venir me voir, il fallait vraiment qu'ils aient de bonnes raisons.

— Nous nous sommes repassés les enregistrements en boucle, ajouta Newman. Y compris le match de dimanche dernier à San Francisco. Il y a certaines constantes qui ne trompent pas. Un grand nombre de matchs importants de ces deux dernières années sont entachés de suspicion. Neuf des équipes qui ont perdu avaient un palmarès plus qu'impressionnant.

— Beaucoup y ont laissé une petite fortune, ajouta mon oncle. Ils commencent à se demander s'il n'y a pas eu trucage.

— Pourquoi venir me voir, moi ? demandai-je. Pourquoi ne pas l'avoir signalé à la ligue ?

— Nous n'avons aucune preuve, répondit Dix. Et, pour être parfaitement honnête, s'il y a effectivement eu fraude, il faut éviter à tout prix que la ligue, la presse et le public ne l'apprennent.

18

Mes hôtes partis, Emilio Cruz fut le premier à se présenter à ma porte, suivi, cinq minutes plus tard, de Del Rio. Je leur fis à tous deux signe de s'asseoir.

— Trois patrons de clubs de la NFL viennent de nous solliciter. Ils ont sans doute le soutien d'une bonne dizaine de leurs confrères. Fred Kreutzer, l'un d'entre eux, est le frère de ma mère.

— Fred Kreutzer est ton oncle ? s'étonna Del Rio.

— Oui. Nos clients pensent que certains matchs sont truqués. Apparemment, de petites équipes fortement cotées gagneraient avec une régularité anormale et sur des décisions arbitrales pour le moins contestables.

— C'est complètement dingue, rétorqua Cruz. Comment peut-on tricher au football ? En admettant qu'on puisse prédire quelle action changerait le cours du match, chaque mouvement est passé au crible par les caméras.

— Dans ce cas-là, ça nous fera de gros chèques et des clients heureux, répondis-je. Ils nous garantissent le double de la rétribution habituelle en échange d'un travail rapide, approfondi et parfaitement confidentiel.

— Ils sous-entendent que ce sont les joueurs qui truquent les matchs ? demanda Del Rio.

Bien que du même âge que moi, mon collègue portait les stigmates, aussi bien physiques que mentaux, de ses années en prison. Le football constituait pour lui un sanctuaire privilégié, dernier refuge de sa foi en l'homme.

— Fred m'a affirmé qu'ils n'avaient relevé aucune infraction au niveau des joueurs. S'il y a eu corruption, c'est du côté des arbitres qu'il faut chercher. Avant de prendre une décision, parlons un peu du meurtre de Shelby. J'ai vu Andy, ce matin. La presse ne le lâche plus. Judiciairement, il n'a pas encore été mis en cause, et il aimerait en profiter pour quitter la ville. Je lui ai conseillé de prendre une chambre d'hôtel et de ne révéler à personne d'autre que moi son lieu de résidence.

— Il a de bonnes raisons de s'inquiéter, confirma Del Rio. Le type qui a tué sa femme a réussi à s'introduire chez lui et à en ressortir avec toute l'habileté d'un proctologue de Beverly Hills. J'ai lancé une série de recherches sur les tueurs professionnels. J'ai deux ou trois pistes. On va la boucler, cette affaire, Jack.

À ma demande, les deux hommes acceptèrent de travailler sur les deux enquêtes en même temps. Les refus n'étaient pas fréquents chez Private : nous recrutions les meilleurs, à des salaires très élevés. Les affaires difficiles et les journées à rallonge faisaient partie du contrat. Je leur donnai pour instruction de déterrer le passé de Shelby *et* d'Andy.

— Qu'est-ce que tu cherches à savoir que tu ne saches déjà, Jack ?

— Je veux la réponse à une question toute simple : quelle raison pourrait-on avoir de tuer Shelby Cushman ?

— Aucun problème, m'assura Del Rio. Deux affaires pour le prix de trois ? Moi, ça me va.

Après leur départ, mon bureau resta vide pendant près d'une minute. Puis Colleen entra, refermant la porte derrière elle.

— Ton rendez-vous de 11 heures vient d'arriver, m'informa-t-elle. Ils ont une tête qui ne m'inspire pas confiance.

— Ah bon ? Ce sont juste des avocats, pourtant.

— Juste des avocats ? répéta-t-elle avec le sourire. Ben voyons ! Des avocats du genre bien louches et bien véreux, tu veux dire.

Elle les fit entrer. Je les connaissais de réputation.

Ils s'appelaient Ferrara et Reilly et représentaient Ray Noccia, parrain de la tristement célèbre famille Noccia.

19

Après leur avoir serré la main, j'invitai les nouveaux venus à prendre place.

L'avocat Ed Ferrara était vêtu d'un costume trois-pièces de couleur sombre. Son associé, John Reilly, portait un jean noir ainsi qu'un pull en cachemire de même couleur. Ce dernier balaya le bureau du regard, à la recherche d'éventuelles caméras cachées dans l'étagère à livres. Je ne crois pas qu'il les remarqua.

— Heureux de faire votre connaissance, Jack, déclara Ferrara. On m'a dit le plus grand bien de vous.

— Ça fait toujours plaisir à entendre, répondis-je. Que puis-je pour vous ?

Reilly sortit de sa poche la photo d'une très jolie femme blonde d'une vingtaine d'années. Je crus la reconnaître : une actrice, que j'avais déjà vue à la télé dans l'émission de Craig Ferguson.

— Voici Beth Anderson, annonça Ferrara. Elle est actrice de cinéma. C'est également une très bonne amie de M. Noccia.

Ce dernier devait bien avoir soixante-dix ans. Après avoir attendu près de deux générations, il venait tout juste de prendre la tête de la famille. Et le voilà qui se déclarait être « bon ami » avec Beth Anderson, une petite jeunette d'à peine vingt ans.

— Cela fait une semaine que Beth a disparu, poursuivit Reilly. Elle ne répond pas aux appels téléphoniques de M. Noccia. Il veut juste savoir comment elle va.

— Ça m'a tout l'air d'être le genre d'enquête parfaite pour la police, répliquai-je. Vous devriez leur passer un coup de fil, je vous les recommande chaudement.

— Nous ne voulons pas ébruiter l'affaire, m'expliqua Ferrara avec le sourire. Il est important pour la carrière de Beth que nous évitions toute publicité. Ce qui nous amène à vous, Jack. Nous voudrions une estimation de vos honoraires, avec tarif plafonné.

Beth Anderson avait-elle simplement quitté Los Angeles ou était-elle morte ? Je n'en avais aucune idée, mais je ne voulais rien avoir à faire avec Ray Noccia.

— Je suis désolé, je ne fais pas d'estimations, rétorquai-je. Je ne plafonne pas non plus mes honoraires. Et je ne fais pas affaire avec la mafia.

Un silence pesant s'installa l'espace de quelques secondes. Puis Reilly et Ferrara se levèrent d'un bond.

— Vous vous occupez bien d'Andy Cushman, déclara Ferrara. Et, niveau dragueur dégénéré, il y aurait long à dire sur votre relation avec cette petite traînée du Kerry qui vous sert de réceptionniste.

— Et n'oublions pas que, lorsqu'il est mort, conclut Reilly, votre père purgeait une peine de prison à vie. Pour un petit branleur dans votre genre, vous ne manquez pas de culot.

Sans doute. Mais la réussite de Private tenait justement pour partie à mon culot.

20

À 3 heures, cet après-midi-là, dans son bureau à Howard Public Relations, Jason Pilser attendait la réunion du comité consultatif lorsqu'un message sur son téléphone portable le mit en état d'excitation intense.

Le texto venait de Freezer lui-même, qui lui communiquait les détails de la prochaine « nuit sur la ville ». Il s'adressait à Jason en l'appelant par son pseudonyme, « Scylla ». « Prépare-toi. C'est à ton tour de jouer. »

Bordel ! Cette fois-ci, c'était la bonne : son baptême du feu. Depuis plusieurs semaines, il ne pensait plus qu'à cela. Il avait rencontré « Morbid » sur Commandos of Doom, un wargame en ligne et en temps réel. Les deux alliés avaient mené ensemble des dizaines de batailles au cours de ces deux dernières années.

Quelle n'avait pas été sa stupéfaction le jour où Morbid l'avait recruté au sein d'un réseau très fermé de joueurs… C'était par son intermédiaire que s'était déroulée sa rencontre virtuelle avec Freezer. Bientôt, Jason, alias Scylla, passerait lui-même à l'action dans le monde réel.

Il continua à travailler comme un robot pendant trois heures encore, et ne broncha même pas quand sa chef, une belle garce, lui reprocha à tort d'avoir fait capoter leur dernier appel d'offre. *Va te faire foutre…*

À 18 heures, il enfila sa veste, quitta son bureau et se rendit tout droit au Red Zeppelin, un magasin de bricolage sur West Hollywood.

Après avoir arpenté les étroites allées qui séparaient les rayons remplis jusqu'au plafond, il passa en caisse avec deux mètres de rallonge électrique, un rouleau de gros scotch et une paire de gants en jersey. Rien de très inhabituel. Il paya ses achats en liquide et garda la tête basse, de façon à échapper à la caméra de surveillance.

Il se sentait comme gonflé à bloc ; il en avait même les mains moites.

Plus qu'un jour avant cette fameuse nuit. Ce serait alors à son tour.

Demain, quelque part dans l'est de Los Angeles, il tuerait une fille.

21

Ce n'était quand même pas du sommeil, ça ! Tous les soirs, j'avais en fait l'impression de partir à la guerre et de revenir à la réalité au matin, à l'occasion d'un gigantesque bombardement.

Dans mon rêve, cette fois-ci, je traversais le champ de bataille en courant, Colleen dans les bras, du sang plein les bottes. J'avais le cœur qui tambourinait dans ma poitrine.

— Sauve-moi, Jack, je suis la mère de tes enfants, me répétait Colleen.

Les tirs de mortier qui fusaient autour de moi m'obligèrent à me plaquer au sol. J'ouvris les yeux et, l'espace d'un court instant, j'eus la nette impression d'être encore en Afghanistan.

Je n'avais pratiquement rien oublié. Il me manquait pourtant plusieurs informations cruciales : entre l'explosion de l'hélicoptère et le moment où j'étais mort, il y avait comme un trou dans mon esprit.

J'avais enfoui certains souvenirs dans les tréfonds de mon subconscient. Un jour ou l'autre, il me faudrait creuser. Découvrir la vérité. Si je parvenais à éclaircir ce mystère, peut-être retrouverais-je le sommeil.

Je m'agrippais encore à quelques fragments de rêves lorsque mon téléphone se mit à vibrer sur la table de nuit.

Je vérifiai le nom de mon interlocuteur. Pour toute information, l'écran affichait : inconnu.

Laissant le téléphone là où il était, je sautai du lit et me dépêchai d'allumer les six écrans de contrôle.

Ne détectant d'anomalie sur aucun d'eux, je procédai à un contrôle oculaire des environs. Derrière le portail de ma résidence, les voitures défilaient sur le Pacific Coast Highway. De hautes palissades me séparaient de mes voisins, de part et d'autre. La plage semblait déserte.

J'étais seul.

Le téléphone cessa finalement de sonner. Le soleil baignait la chambre de ses rayons, et, dehors, le Pacifique continuait de rugir.

Cette maison, je l'avais achetée avec Justine. Voilà le genre de souvenirs dont on ne se débarrasse jamais... Je la revoyais encore, sa longue chevelure noire déployée sur la blancheur de l'oreiller, les yeux emplis d'amour. Et vous savez quoi ? À l'époque, cet amour était réciproque.

Après avoir pris une douche, j'enfilai un pantalon large et une très élégante chemise bleue. Le téléphone sonna à nouveau. M'installant à la table du salon où j'avais l'habitude de travailler, je finis par décrocher cet appareil de malheur.

— Tu es mort, m'annonça-t-on d'une voix mécanique.

— Pas encore, rétorquai-je.

Je me préparai un café serré et consacrai une bonne heure et demie à passer des coups de fil pour confirmer mes rendez-vous.

Il était presque 10 heures lorsque je retrouvai Del Rio à l'aéroport de Santa Monica.

L'heure de décoller.

22

Nous montâmes à bord d'un Cessna Skyhawk SP, un avion monomoteur fiable et élégant. Del Rio prit place à côté de moi, comme au bon vieux temps.

Nous échangeâmes un regard lourd de sous-entendus. Nous pensions tous deux à l'Afghanistan, à nos amis morts dans cet hélicoptère, au fait que Del Rio m'avait réanimé, que je lui devais la vie.

Je me demandai s'il lui restait des révélations à me faire concernant cette dernière journée passée à Gardêz. On m'avait décoré pour avoir amené le corps de Danny Young loin des flammes. Impossible pour autant d'oublier ces rêves récurrents. Mon esprit semblait m'envoyer des signaux contradictoires, comme s'il cherchait à me protéger d'un souvenir insupportable tout en m'obligeant à creuser plus profondément dans ma mémoire.

— Rick. Ce dernier jour à Gardêz…

— L'hélicoptère ? Pourquoi tu me relances à nouveau sur ce sujet, Jack ?

— Raconte-moi encore une fois ce qui s'est passé.

— Je t'ai déjà raconté tout ce que je sais.

— Ça reste flou dans ma tête. Il me manque quelque chose. Quelque chose que j'ai oublié.

— Nous transportions nos hommes vers Kandahar, soupira-t-il. Il faisait nuit. C'était toi qui avais pris la tête de notre groupe de combat, et moi j'étais copilote. Une espèce d'enturbanné avec un missile sol-air est apparu de nulle part à l'arrière d'un camion. Personne ne l'avait vu. On s'est pris le tir en plein flanc. Ce n'était la faute de personne, Jack. Tu as mis le Phrog à terre. Le feu avait pris à l'intérieur, tu te souviens ? Je suis sorti par la fenêtre sur le côté. Les types du Dash 2 couraient dans tous les sens. Je suis parti à ta recherche et t'ai trouvé avec Danny Young dans les bras. Tu as toujours été un héros, Jack, toujours là pour aider les autres. Et c'est à ce moment-là qu'il y a eu un tir de mortier.

— Je vois des images, mais pas le film dans son intégralité.

— Tu étais mort, c'est pour ça. Il m'a fallu te marteler la cage thoracique un bon paquet de fois avant de te réanimer. Je n'ai rien d'autre à te dire.

Les images se succédaient sans jamais former un ensemble cohérent. Je revoyais le crash. Je me souvenais d'avoir couru en traînant Danny Young sur l'épaule. Et puis je m'étais réveillé.

Il manquait quelque chose. Que s'était-il passé sur le champ de bataille ?

Je gardai le regard braqué sur Del Rio, qui m'adressa finalement un grand sourire.

— Alors, mon chéri, tu ne me dis pas à quel point tu m'aimes ?

— Espèce de crétin ! Bien sûr que je t'aime.

Il éclata d'un rire tonitruant et plaça devant ses yeux les lunettes de soleil qui trônaient sur la visière de sa casquette. De mon côté, je me chargeai de la liste de vérifications.

La tour de contrôle me donna la permission de décoller. J'enfonçai la manette de poussée et manœuvrai le Cessna le long de la piste, donnant un petit coup à droite sur la gouverne de direction afin de suivre la ligne médiane. Lorsque l'indicateur de vitesse monta à soixante, je relâchai légèrement la manette et l'avion s'envola dans le ciel bleu de Los Angeles.

Tout en douceur.

Pendant les cent minutes qui suivirent, l'appareil me parut n'être qu'une extension de mon propre corps. L'aviation se résume en fin de compte à une série de procédures, et je connaissais le rituel par cœur. La radio dans mon casque m'éloigna de mes pensées douloureuses.

Grisé par l'altitude, j'oubliai mes cauchemars.

23

Nous atterrîmes au Metropolitan Airport, dans la baie de San Francisco, vers midi.

Pris dans les embouteillages de Harbor Bay Parkway à bord de notre voiture de location, c'est avec une demi-heure de retard que nous arrivâmes à notre rendez-vous avec Fred sur le terrain d'entraînement des Oakland Raiders.

Je tendis mon laissez-passer au personnel de sécurité à l'entrée principale et on nous dirigea vers le terrain en gazon naturel sur lequel les joueurs s'entraînaient aux passes et à la course. À l'autre bout, deux *kickers* se relayaient pour botter depuis la ligne des quarante *yards*.

Oncle Fred se tenait sur le côté, à mi-hauteur. En nous voyant arriver, il vint à notre rencontre. Je lui présentai Del Rio, lui expliquant qu'il travaillerait avec moi sur cette affaire.

Il fit signe à plusieurs Raiders, des joueurs de premier plan tels que Brancusi, Lipscomb, ainsi que le *halfback* Muhammed Ruggins – des types qui touchaient plusieurs millions par an. Des mecs tout simplement énormes. La conversation tourna autour du prochain match contre Seattle, avant que nous ne portions notre attention sur Jermayne Jarvis, le très talentueux *quarterback* de l'équipe, qui s'entraînait à la mise en jeu.

— Quel timing, m'étonnai-je, admiratif. On a l'impression qu'il arrive à anticiper tous les mouvements du receveur.

— Tu t'en sortais bien à Brown, Jack, déclara Fred. Comme lanceur, tu étais sensationnel. Pourtant, tu as eu raison de ne pas te lancer dans une carrière professionnelle.

Je n'en aurais pas été capable. Je n'étais pas assez grand et je n'avais probablement pas le bras pour. Et puis, le niveau de la Ivy League n'était pas tout à fait le même que celui du Big Ten ou de la SEC.

— Jack, me lança Fred avec une étincelle dans le regard, que diriez-vous, toi et Rick, de faire quelques passes avec mes joueurs ?

— Tu es fou ? protestai-je. Je croyais que tu tenais à moi !

Je me tournai vers Del Rio, dont l'expression ressemblait à celle d'un gamin qui venait de gagner le gros lot à la fête foraine.

C'est ainsi que nous nous retrouvâmes à réceptionner en pleine course les balles ultra précises de Jermayne Jarvis. Peu à peu, je me laissai prendre au jeu. Je m'apprêtais à attraper la balle lorsque Del Rio me percuta de plein fouet. Nous tombâmes tous deux à terre. Fred trotta dans notre direction et, hilare, se pencha vers moi.

— C'était magnifique, Jack. Un véritable artiste en mouvement. Maintenant, j'ai quelque chose de beaucoup moins drôle à te montrer.

Laissant le terrain derrière nous, Fred nous guida à travers un long couloir en béton. Après avoir franchi toute une série de portes fermées à clé, nous pénétrâmes dans son bureau. Il ouvrit une armoire, elle aussi verrouillée, pour en sortir une boîte en carton contenant ce qu'il nous annonça être les DVD des matchs de la NFL de ces vingt-huit derniers mois.

— J'ai indiqué sur les boîtiers quels sont les onze matchs qui semblent suspects, précisa-t-il. Voyez par vous-mêmes, et comparons ensuite nos relevés.

Des escrocs risquaient de discréditer le football professionnel. Fred m'expliqua par où commencer dans mes recherches.

— Je ne t'ai jamais rien demandé auparavant, conclut-il. Mais, cette fois-ci, j'ai besoin de toi.

24

Il faisait nuit lorsque je rentrai chez moi, au 20152 Pacific Coast Highway. Une lune encore timide éclairait le toit, que l'on distinguait tout juste au-dessus de l'immense portail en acier.

Je garais la Lamborghini dans le garage lorsque j'aperçus une voiture dans le rétroviseur.

Le conducteur me fit des appels de phares. Je ressortis en marche arrière, et vis alors une berline noire se ranger dans l'allée. Qui était-ce ?

J'attendis à côté de mon véhicule, le temps que le conducteur de la berline descende à son tour. Il déboutonna sa veste et s'approcha de moi d'un pas alerte.

— Monsieur Jack Morgan ?

— Oui ?

— M. Noccia aimerait vous parler. C'est important.

— Je ne souhaite parler à personne à l'heure qu'il est, répondis-je sans la moindre hésitation. Et attention en repartant, la circulation est encore dense.

— Vous êtes sûr que c'est bien le message que vous voulez que je lui transmette ?

Ma décision était sans appel. Constatant ma détermination, le visiteur retourna dans sa Lincoln Town Car. Un deuxième homme en descendit alors pour ouvrir la portière arrière. Une troisième silhouette fit son apparition, puis le petit groupe se dirigea vers moi.

C'est à cet instant que je le reconnus. Vêtu d'une veste de survêtement grise, il avait les cheveux et le teint gris, et un nez busqué. Face à moi se tenait un parrain de la mafia, un criminel qui avait ordonné des dizaines d'exécutions. Il faisait nuit. Personne ne l'avait vu venir. Personne ne le verrait repartir.

— Ray Noccia, se présenta-t-il en me tendant la main. Heureux de faire votre connaissance.

Ma main resta enfoncée dans ma poche de veste. Une ombre traversa son visage, comme si je venais de le gifler ou de pisser sur ses chaussures.

— Votre père et moi avons déjà fait affaire ensemble, annonça-t-il avec le sourire. C'est pour cette raison que mes avocats sont venus vous voir. Apparemment, ils vous ont manqué de respect et je m'en excuse. Je m'excuse toujours en personne.

— Oh, c'est inutile.

Il n'y avait dans son sourire aucune ironie.

— Très bien. Je peux donc compter sur vous pour retrouver Beth. Je comprends les règles. Pas d'estimation. Pas de plafonnement. Je payerai vos honoraires ainsi qu'un bonus lorsque vous la retrouverez. Parce que c'est vous le meilleur.

Il était grand temps que je mette un terme à ce malentendu.

— Vos hommes savent où ils l'ont enterrée. Gardez votre argent et interrogez-les plutôt, eux.

Un silence de plomb s'installa, durant lequel Noccia ne me quitta pas des yeux. Lorsqu'il reprit la parole, c'était à peine si sa voix s'élevait au-dessus de la circulation et du ressac de l'océan.

— Vous êtes bien mieux éduqué que votre père. Mais vous n'êtes pas aussi malin. Et regardez comment il a fini.

Sur ce, il me tourna le dos et remonta dans sa voiture.

J'avais sans doute poussé un peu loin les limites de la témérité, mais peu importait. Ray Noccia m'avait déjà balancé ce qu'il pouvait me dire de pire : mon père et lui avaient travaillé ensemble.

Ma main tremblait encore lorsque j'enfonçai la clé dans la serrure. J'espérais ne plus jamais avoir affaire à la famille Noccia.

Autant rêver.

DEUXIÈME PARTIE

Numéro treize.

25

La lumière matinale baignait d'une teinte rosâtre les montagnes d'ordures de Sunshine Canyon. Les mouettes hurlaient à l'agonie, volant en piqué au-dessus de ces kilomètres de déchets. Le petit déjeuner venait d'être servi.

Justine gara sa Jaguar sur le bas-côté et nous contemplâmes le paysage. Je trifouillai les fréquences radio de la police jusqu'à obtenir un signal à peu près clair. Elle me tendit le thermos ; j'en avalai une gorgée.

Le café était noir, sans sucre, comme tout ce qu'aimait Justine. Brut, pas de chichis.

Nous n'avions pas été intimes depuis plus de deux ans. Pourtant, seul avec elle dans cette voiture, l'envie me brûlait de lui prendre la main. Les choses avaient toujours été compliquées, même à l'époque où nous étions ensemble.

— Alors, comment ça va ? me demanda-t-elle.

Les flics se trouvaient sur la route, de l'autre côté de la décharge. Nous recevions leurs communications à destination du commissariat.

— Andy Cushman a une bonne vingtaine d'anciens clients furieux à ses trousses. Tous ont les moyens, l'occasion et, mieux encore, le mobile pour le tuer.

Alors, pourquoi tuer Shelby à sa place ? Je n'y comprends rien.

— Je suis désolée de l'apprendre, Jack. Mais ce que je voulais savoir, c'était comment tu allais, toi.

Ce qu'elle voulait *vraiment* savoir, c'était comment ça se passait avec Colleen, et je n'avais aucune envie d'entamer ce genre de discussion avec elle.

— J'ai une nouvelle enquête, répondis-je pour éviter le sujet. C'est beaucoup de boulot et c'est personnel. Tu te souviens de mon oncle Fred ?

— Le type qui est dans le football.

— Ouais. Il pense que certains matchs sont truqués. De quoi créer un scandale énorme, le plus gros depuis l'affaire des Black Sox dans le milieu du base-ball.

— Ouah, lâcha Justine.

— Je fais à nouveau des rêves, lui confiai-je.

Elle écarquilla les yeux. Évoquez vos songes auprès d'un psy, vous aurez l'impression d'agiter une ficelle devant un chaton.

— Quel genre de rêves ? Les mêmes qu'avant ?

Je lui racontai tout : la précision avec laquelle je visualisais les explosions, les courses effrénées en plein champ de bataille avec, sur l'épaule, une personne chère que je ne parvenais jamais à sauver.

— Probablement la culpabilité du survivant, suggéra-t-elle. Qu'en penses-tu ?

— Je voudrais juste que ça s'arrête.

— Tu me feras toujours rire, avec tes réponses laconiques.

J'ouvris le dossier que je portais calé sous le bras pour regarder le document que Bobby Petino venait d'envoyer par e-mail à Justine. Il s'agissait de la photo de classe d'une jolie fille de seize ans nommée Serena Moses, qui avait disparu la veille. Elle vivait à Echo Park, un quartier de L.A. que Justine appelait « la zone rouge ». Le cimetière des lycéennes.

Deux heures après que les parents de Serena avaient appelé le 911, un coup de fil anonyme et impossible à localiser avait informé la police que le corps de la jeune fille se trouvait quelque part dans la décharge.

Une voix de flic, plus forte que les autres, se fit entendre à la radio.

— J'ai trouvé quelque chose. Un corps, peut-être. Oh, nom de Dieu…

— Allons-y, lançai-je.

Justine m'arrêta.

— Il faut que j'y aille seule. Si tu viens avec moi, je perds toute crédibilité. Reste ici.

Elle traversa la rue déserte et se dirigea vers l'endroit où, dans la puanteur ambiante, la police dressait déjà un périmètre de sécurité.

26

Elle adressa un signe de la main au lieutenant Garcia, qui lui lança en retour un regard mauvais. Un sac-poubelle noir gisait aux pieds de la policière, tel un ballon crevé.

La gorge nouée, la détective songea à l'autre lycéenne que l'on avait retrouvée ici, il y a plusieurs années de cela, dans un sac noir identique. Elle s'appelait Laura Lee Branco. Elle avait été poignardée en plein cœur.

Garcia coupa la ficelle à l'aide d'un canif.

Un bras jaillit de l'ouverture, la main grande ouverte. Il fallut à Justine un temps interminable avant de comprendre ce qu'elle voyait.

— Qu'est-ce que c'est que ce bordel, s'exclama Garcia en retroussant le sac, aidée d'un autre flic, pour révéler un mannequin aux formes féminines.

Elle retourna l'objet inerte et l'inspecta. Pas d'inscription sur le corps du mannequin, ni de message à l'intérieur du sac.

— Alors ? Qu'est-ce que ça veut dire ? C'est toi, la psy, non ?

— Il se joue de nous.

— Ouah, bravo Justine, railla Garcia. Je n'y aurais jamais pensé ! C'est une putain de perte de temps, voilà ce que c'est. Et ce n'est certainement pas Serena Moses.

Justine se sentit comme ivre de bonheur, mais son soulagement fut de courte durée. On ne savait toujours pas où se trouvait la lycéenne, ni même si elle était en vie.

— On dirait bien que tu vas devoir continuer tes recherches, lança-t-elle en se tournant brusquement vers le lieutenant Garcia. J'espère que tu es aussi douée que tu sembles le croire.

27

Colleen et moi étions ce soir-là occupés à trier les dossiers d'Andy Cushman. Nous avions mis de côté nombre de documents comptables afin de les étudier plus en détail.

Colleen portait un pantalon d'homme et, sur son chemisier en dentelle, un cardigan en soie bleue. Lorsqu'elle se pencha pour poser une autre pile de papiers sur la table basse, sa longue chevelure ondula de part et d'autre de son visage.

— Pourquoi ne rentres-tu pas à la maison? lui suggérai-je. Il est presque 21 heures. Je peux me débrouiller tout seul.

— Autant en finir ce soir, Jack. Ce sera pire demain.

— Assieds-toi, lui ordonnai-je gentiment en tapotant le coussin à côté de moi.

Elle se laissa tomber dans le canapé et se fendit d'un voluptueux bâillement.

— Encore une heure et on aura fini, se défendit-elle.

Je passai mon bras autour de sa taille et l'attirai vers moi.

— Arrête de faire l'idiot, Jack. Il y aura des champignons plein la pelouse et personne pour les ramasser.

— Ça veut dire quoi, ça ?

— Ça veut dire qu'on va s'attirer des ennuis.

Mais sa façon de me repousser manquait vraiment de conviction. Elle posa finalement sa tête contre mon torse, et une odeur de savon irlandais, son préféré, me chatouilla les narines. Je passai mes mains dans ses cheveux. Elle se tourna vers moi.

— Oh, monsieur Morgan, je vous en supplie, soupira-t-elle entre deux baisers. Faites de moi ce qu'il vous plaira.

— Attends.

Je me levai pour aller fermer la porte de mon bureau. J'éteignis le plafonnier puis retournai sur le canapé.

— Lève-toi, Molloy, lui demandai-je. S'il te plaît.

— Non, monsieur, protesta-t-elle avant de finalement s'exécuter.

Je commençai par déboutonner son cardigan tout en retirant mon pantalon. Lorsqu'elle n'eut plus sur elle que ses sous-vêtements, je la fis asseoir et terminai de me déshabiller.

Nous restâmes un petit moment à nous observer avant que je ne me mette à la caresser. Elle cacha son visage derrière son bras, comme pour étouffer ses gémissements. Elle ne pouvait s'empêcher de crier quand nous faisions l'amour. L'acte terminé, ce furent pourtant des larmes qui roulèrent sur ses joues.

Je l'enveloppai dans mes bras, m'assurant que mon corps la protégeait du froid.

— Qu'est-ce qu'il y a, chérie ? Qu'est-ce qui ne va pas ?

— J'ai vingt-cinq ans, chuchota-t-elle.

— Comment ça ? Tu veux dire, aujourd'hui ?

Elle fit oui de la tête et se mit à fredonner : « Happy birthday to me. »

— Pourquoi ne me l'as-tu pas dit ?

— Je te l'ai dit.

— Je ne crois pas. Ou alors, j'ai oublié.

— Ce n'est pas grave. Je ne suis pas très attachée aux anniversaires.

— Si, c'est grave, répliquai-je en lui soulevant le menton. Promis, je vais me rattraper.

Elle haussa les épaules et me repoussa. Basculant les jambes par-dessus l'accoudoir, elle se mit à ramasser ses vêtements éparpillés à terre.

— Ce n'est pas le genre de choses que je dis, d'habitude, Jack.

Cela signifiait : pas de cadeau, pas de fleurs, pas de dîner. Tout juste une séance de jambes en l'air à la va-vite sur le canapé.

— Tu mérites mieux que ça.

— Tout le monde mérite mieux que ça, rétorqua-t-elle.

28

Justine monta sur l'estrade de l'auditorium et remercia le proviseur, Barbara Hatfield, de l'avoir invitée.

Le lycée Roybal, fraîchement rénové, accueillait cinq mille élèves, mais seules les filles de terminale avaient été invitées à assister à sa présentation. La directrice avait estimé que certains détails particulièrement explicites risquaient d'effrayer les plus jeunes.

D'une certaine façon, Justine comprenait. La peur restait cependant le moyen le plus efficace pour transmettre son message. Et, jusqu'à présent, le tueur avait plutôt frappé des filles plus jeunes. Mais l'argument n'avait pas suffi à faire changer d'avis Mme Hatfield.

— Je suis psychologue, commença Justine. Mais je travaille également sur les meurtres de lycéennes dont vous avez toutes entendu parler sur Internet et à la télé.

Il y eut un éternuement, suivi de quelques rires nerveux. Elle marqua une pause.

— Tout d'abord, j'ai le plaisir de vous annoncer que Serena Moses est hors de danger. Elle a été renversée par une voiture et se trouve actuellement à l'hôpital. En se réveillant, elle s'est identifiée auprès des médecins. Votre amie souffre d'une fracture au bras, mais sa vie n'est pas en danger. Elle sera bientôt de retour parmi vous.

Les applaudissements fusèrent, et Justine se fendit d'un grand sourire. La situation de Serena soulevait pourtant une question de taille : comment le tueur, qui avait envoyé un e-mail à son sujet, avait-il été informé de l'accident de la jeune fille ? L'avait-il surveillée ? Étaient-ils plusieurs ?

— C'est un immense soulagement, reprit-elle, les yeux humides. Mais il nous faut hélas évoquer les filles du quartier qui n'ont pas eu cette chance.

Elle adressa un signe de tête à l'assistant du professeur, qui démarra la présentation Powerpoint. Les lumières s'éteignirent. Sur l'écran apparut alors le visage d'une adorable jeune fille arborant un grand sourire.

— Voici Kayla Brooks, inscrite au collège John Marshall. Elle rêvait de devenir docteur, mais elle n'a même pas eu le temps d'entrer au lycée qu'elle se faisait tirer dessus à quatre reprises, sans raison aucune. Sa vie, son avenir, les enfants qu'elle aurait pu avoir, la carrière qui aurait pu être la sienne : tout cela est terminé.

Les photos du corps de Kayla défilèrent à l'écran. Justine lutta pour ne pas se laisser émouvoir par les pleurs dans la salle. Ce fut ensuite au tour de Bethany et de Jenny, qui fréquentaient ce même lycée, puis de toutes les autres, photos et biographies à l'appui, pour en arriver à Connie Yu, morte tout juste quatre jours auparavant.

— Nous savons que le coupable disposait d'informations personnelles concernant toutes ces filles, et qu'il a utilisé ces informations pour gagner leur confiance.

Elle raconta comment le tueur avait envoyé un SMS à Connie depuis un téléphone avec carte prépayée.

— Écoutez-moi bien, les filles, lança-t-elle. Ce n'est pas l'amie de Connie qui lui a envoyé ce SMS. Le message qu'elle a reçu était un piège, un faux. Résultat : elle en est morte. Qui sait s'il ne va pas tenter la même technique avec vous ? Alors, si une amie – y compris votre meilleure amie – vous donne rendez-vous quelque part toute seule, n'y allez pas. Et faites passer le message aux filles des autres classes. Où que vous alliez, n'y allez pas seules. C'est bien compris ?

Les petites voix cristallines s'agrégèrent pour former un « oui » massif.

— Je veux que tout le monde se lève, et que vous répétiez après moi.

Plusieurs centaines de pieds se mirent à frotter contre le sol. Les sièges repliables claquèrent et les livres tombèrent par terre.

Toutes répétèrent à l'unisson les mots que la jeune intervenante leur scandait : « Je promets de ne jamais aller nulle part toute seule. »

Justine espérait de tout cœur que le message était passé. Une angoisse la taraudait pourtant : parmi ces filles, il s'en trouvait sans doute une qui se croyait au-dessus de toute mise en garde. Une fille qui se sentait plus forte que la mort.

29

Elle quitta l'école, s'aventura sur West Second Street, et venait de sortir son téléphone de son sac lorsqu'une voiture noire glissa le long du trottoir. Le conducteur descendit la vitre.

— Je vous dépose quelque part, madame ?

— Bobby ! Que fais-tu ici ?

— Je garde un œil sur ma copine. Allez, monte, Justine. Je te dépose au bureau.

— Quel timing ! Je m'apprêtais justement à appeler un taxi. Merci !

Elle fit le tour de la BMW et prit place à ses côtés. Ils échangèrent un court baiser.

— Comment ça s'est passé avec les gamines ? demanda-t-il avant de réintégrer la file de voitures.

— Bien, je pense. Si tant est qu'elles accordent la moindre attention à une trentenaire comme moi.

— Chérie, on ne te donne pas plus de trente ans. Écoute, il y a une chose que je voulais t'annoncer avant que ça n'arrive à tes oreilles par d'autres voies. J'envisage sérieusement de me présenter au poste de gouverneur. Plusieurs représentants du parti démocrate me l'ont demandé. Il n'y a aucun problème de financement. La compétition risque d'être rude, mais ils ont l'air de croire en moi, au plus haut niveau. J'ai même reçu un appel de Bill Clinton.

— C'est un peu rapide, non ?

— Ça fait déjà un moment que j'y pense. Je ne voulais pas te l'annoncer avant d'avoir moi-même commencé à prendre l'idée au sérieux.

Justine cachait bien son jeu, mais cette nouvelle la prenait complètement au dépourvu. Elle lui répondit en toute sincérité qu'il ferait certainement un très bon politique. Elle sentit pourtant son cœur chavirer. Elle tenait beaucoup à Bobby. C'était le premier homme en qui elle avait confiance depuis sa rupture avec Jack. S'il devenait gouverneur, il partirait vivre à Sacramento. Que se passerait-il ensuite ? Où irait-elle ?

— Ce serait génial si on pouvait coffrer le salaud qui tue toutes ces filles, ajouta-t-il. C'est vraiment la priorité. Une arrestation me donnerait un sacré coup de pouce en ce moment.

— Bien sûr, acquiesça Justine.

Elle baissa l'air conditionné, qui lui donnait des frissons. Les paroles de Bobby semblaient contenir un certain nombre de sous-entendus. S'il était élu, souhaitait-il qu'elle vienne s'installer avec lui à Sacramento ? Si tel était le cas, en quelle qualité ? Le commissaire ne lui avait pas rendu la vie facile lorsqu'il avait décidé d'associer Private à l'enquête. Bobby avait semble-t-il accepté parce qu'il savait à quel point cela comptait pour elle. Apparemment, il s'agissait de quelque chose de très important pour lui également.

— Tu es bien silencieuse, remarqua-t-il en s'arrêtant au feu rouge.

— J'essaye de t'imaginer à ton nouveau poste, c'est tout. À mon avis, tu seras tout à fait à ta place.

— Tu sais que tu es merveilleuse ? répondit-il en se penchant pour l'embrasser. J'ai vraiment beaucoup de chance.

— Et ce n'est pas moi qui vais te contredire !

30

Ce n'était pas un, mais bien deux couples de célébrités qui m'attendaient dans le hall d'entrée, ce matin-là. Leur agent avait téléphoné pour les annoncer.

Des quatre, Jane Hawke sortait particulièrement du lot : rock star percée et tatouée, son accoutrement se déclinait en un camaïeu violet particulièrement outrancier. À sa droite était assis son mari, l'acteur de films d'action Ethan Tau, vêtu d'une tenue de cow-boy et chaussé de bottes brodées en peau de vache.

En face d'eux se trouvaient les stars de tennis Jeanette Colton et Lars Lundstrom : blonds, bronzés, et bien plus élégants.

Lorsque je fus prêt à les recevoir, Colleen les fit entrer dans mon bureau, leur proposant thé ou café.

— Autre chose, Jack ? conclut-elle en m'adressant un sourire tiède.

— Ça va, confirmai-je sans grande conviction.

La porte se ferma derrière elle avec un déclic à peine perceptible.

— Que puis-je pour vous ?

— C'est un peu difficile à expliquer, commença Jeanette Colton.

Son mari, un Suédois à l'imposante carrure, se pencha en avant pour mieux l'écouter.

— Vas-y Jeanette, intervint Jane Hawke tout en sucrant son café. De nous tous, tu es celle qui raconte le mieux.

Une expression douloureuse traversa le visage de la joueuse de tennis. Je n'avais pas la moindre idée de ce qu'elle s'apprêtait à me dire. Que venaient-ils donc faire chez Private, tous les quatre ?

— Ethan et moi sommes tombés amoureux, confia-t-elle avec un regard en direction du mari de Jane Hawke.

La rock star buvait son café sans sourciller.

— S'il s'agit d'un divorce, commençai-je, je crains de ne pas…

— Ce n'est que le début, monsieur Morgan, intervint Lars Lundstrom. Là où ça devient intéressant, c'est que Jane et moi souhaitons également nous mettre ensemble.

Malgré son accent à couper au couteau, il n'y avait aucun doute possible sur les mots qu'il venait de prononcer.

— Voilà des années que nous sommes voisins, précisa Jane Hawke.

Une lueur scintilla dans ses yeux cernés de violet.

— Nous voudrions faire un échange, ajouta-t-elle.

Ethan Tau, le visage fendu d'un large sourire, prit la parole pour la première fois.

— Vous ne vous choquez pas facilement, monsieur Morgan. C'est une qualité que j'apprécie.

— Ça ne m'arrive pas souvent, confirmai-je.

— Nous sommes tous partants pour échanger nos partenaires, poursuivit Tau. Jane veut vivre avec Lars, et Jeanette emménagera chez moi. Pour autant, nous ne sommes pas aussi idiots que nous en avons l'air. Nous voudrions que vous enquêtiez sur chacun d'entre nous. Pour qu'il n'y ait aucune surprise. Il y a des enfants en jeu, vous comprenez ?

— Je vois, acquiesçai-je. Je suis vraiment navré, mais je ne vais pas pouvoir vous aider. Notre planning est plein à craquer, et il nous faudrait des semaines avant de pouvoir nous occuper de vous, si tant est que nous en ayons même la possibilité. Je suis désolé.

J'étais parfaitement sincère. Pourtant, ce genre d'affaire, c'était du gâteau : pas de sang, pas de coups de feu, pas de violence, juste du travail d'investigation et de surveillance. *Beaucoup* de travail de surveillance. De quoi occuper quatre détectives vingt-quatre heures sur vingt-quatre, sept jours sur sept.

Je donnai à ce drôle de quatuor le numéro de Haywood Prentiss en leur expliquant que non seulement j'avais travaillé pour lui, mais que je lui devais tout ce que je savais. Je les raccompagnai ensuite vers la sortie.

Un autre rendez-vous m'attendait. Pas question d'arriver en retard.

31

L'adresse que m'avait donnée l'oncle Fred se trouvait à six rues de nos bureaux. Il s'agissait d'un bâtiment en stuc à deux étages, recouvert d'une peinture rose largement écaillée, et dont l'entrée principale était surmontée d'une marquise d'un vert délavé par le soleil.

À gauche se tenait un magasin de vélos ; sur la droite, une épicerie portoricaine. Une grille en métal fermée par un cadenas barrait l'accès à l'étage.

Je m'approchai de l'interphone afin de donner mon nom ainsi qu'un numéro de code que Fred Kreutzer m'avait transmis. Une voix me signifia d'attendre.

Un homme à la peau sombre, au visage de fouine et à la silhouette longiligne fit bientôt son apparition.

— Barney Sapok, se présenta-t-il. Enchanté de faire votre connaissance, monsieur Morgan.

Il me guida jusqu'au deuxième étage. Après avoir franchi une porte fraîchement repeinte, je pénétrai à l'intérieur d'une pièce composée d'une vingtaine de postes de travail, occupés par autant d'hommes et de femmes équipés d'un casque téléphonique, d'un bloc-notes et d'un ordinateur.

Tout ce beau petit monde s'occupait de prendre des paris.

On se serait cru au centre de commandement d'un poste de police, ou bien dans un bureau de télémarketing. Mais le chiffre d'affaires de cette société s'élevait à plusieurs dizaines de millions de dollars. Sans compter les autres succursales.

Il n'y avait qu'au Nevada que les paris sportifs étaient légaux. Le crime organisé en faisait donc ses choux gras. Soit Barney Sapok travaillait main dans la main avec la mafia, soit il leur reversait un pourcentage non négligeable pour la collecte de ses gains.

Situé au fond de la pièce, le bureau de Sapok donnait sur la rue.

— M. Kreutzer m'a dit de vous faire confiance et de vous montrer certains documents. Sachez qu'aucune de ces informations ne pourra quitter mon bureau.

— Bien entendu, confirmai-je.

Il ouvrit un tiroir et sortit d'un dossier une feuille de calcul, qu'il posa sur son bureau.

— J'ai obtenu ces données de notre réseau crypté. Les parieurs possèdent des noms de code et des chiffres associés. J'ai passé ma nuit à les décoder pour vous.

— Je suis sûr qu'elles me seront très utiles, Barney. Merci beaucoup.

Je pris une chaise et commençai à éplucher la liste. Certains noms me parlèrent immédiatement : il s'agissait de joueurs professionnels issus d'une bonne dizaine d'équipes différentes, dans les deux ligues.

— Ce sont les paris de l'année dernière, expliqua Sapok en passant le doigt sur chacune des colonnes. Vous remarquez quelque chose ?

— Je vois des paris de plus de 50 000 dollars sur un seul match.

— Autre chose ?

— Aucun des joueurs ne parie sur sa propre équipe.

— Si les joueurs ont mis au point une combine, répondit Sapok avec un hochement de tête, je ne suis pas au courant.

Il glissa la feuille dans un seau d'eau qu'il gardait à proximité, laissant le document, imprimé sur du papier de riz, se dissoudre, et l'encre en colorer le contenu.

— M. Kreutzer est votre oncle, n'est-ce pas ?

— Il est même comme un père pour moi.

— Il y a d'autres informations dont il aurait aimé que vous preniez connaissance. Nous avons un client… qui nous doit plus de 600 000 dollars. Il baigne dans les ennuis jusqu'au cou. L'issue pourrait se révéler fatale.

— Un joueur de foot ?

Sapok inscrivit un nom en majuscules sur un bloc-notes, qu'il retourna pour que je puisse le lire. Puis il arracha la page et lui fit subir le même sort qu'au document précédent.

Le papier disparut dans l'eau, mais les lettres restèrent comme gravées sur les capteurs de mon cerveau.

C'était le nom de mon frère que Sapok venait d'écrire.

Tom Morgan Jr.

Tommy devait plus de 600 000 dollars à la mafia.

32

Remerciant Barney Sapok, je quittai ses bureaux, fou de rage. Ce n'était pas contre lui que j'étais en colère. Il cherchait uniquement à m'aider avec cette révélation. Par son intermédiaire, l'oncle Fred voulait me mettre au courant des dangers que courait mon frère, et me faisait comprendre qu'il ne pouvait pas le tirer de là lui-même.

Fred et Tommy ne s'étaient pas parlé depuis une bonne dizaine d'années. J'ignorais les raisons de leur brouille, mais le naturel rancunier de mon frère rendait toute réconciliation difficile. À mon avis, Fred avait dû essayer de l'empêcher de se fourrer dans un pétrin comme celui-ci, ce que Tommy n'avait très certainement pas apprécié.

En tout cas, mon frère me dégoûtait, et je n'avais pas la moindre idée de ce qu'il convenait de faire pour le sortir de là.

Par la force des choses, je m'étais familiarisé avec les mécanismes de sa maladie : un joueur fonctionne à l'adrénaline et bascule presque aussitôt dans l'addiction. Il gagne une fois, alors il remet ça. Bien sûr, il finit par perdre. Alors, il mise à nouveau pour se refaire. Ainsi commence la spirale infernale.

Son bookmaker comptabilise toutes ses petites pertes. Si le parieur ne rembourse pas, c'est la mafia qui passe à l'action. Les intérêts sont ridiculement élevés, et il faut les payer chaque semaine. Bien souvent, le joueur ne parvient pas à s'acquitter de sa dette en une seule fois ; s'il en vient à avoir du retard sur une échéance, les menaces tombent, puis les passages à tabac. En moins de deux, la mafia le gobe.

Tommy avait sa petite affaire. Il s'en sortait bien. Mais de là à payer un intérêt hebdomadaire de vingt pour cent sur un montant de 600 000 dollars ? Cela représentait 120 000 dollars par semaine avant même de pouvoir s'attaquer à la dette elle-même.

Avait-il hypothéqué sa maison ? Son entreprise ? Était-il à deux doigts du gouffre ou venait-il déjà de tomber ? Sapok avait bien précisé que l'issue risquait d'être fatale.

Je m'élançai dans l'escalier en colimaçon jusqu'à mon bureau, indiquant à Colleen que je souhaitais n'être dérangé sous aucun prétexte.

Après avoir passé deux heures au téléphone, j'appelai finalement mon frère à son bureau.

— Ne me racontez pas de salades, Katherine, précisai-je à son assistante. Passez-le-moi immédiatement !

La voix de Tommy se fit entendre dans le combiné, pleine de méfiance et de ressentiment. Il accepta malgré tout de déjeuner avec moi à 13 heures.

33

Tommy, qui avait toujours tenu à tout contrôler, insista pour choisir le lieu de rendez-vous. Crustacean, un restaurant vietnamien classé cinq étoiles, se trouvait sur Santa Monica, à deux pas de son bureau.

Vingt minutes plus tard, je franchissais la porte d'entrée et m'annonçai auprès de l'hôtesse d'accueil, qui me guida derrière un aquarium géant rempli de carpes et me fit asseoir « à la table de M. Tommy », près de la fontaine. Je commandai une bière, étudiai la carte. Lorsque je relevai les yeux, mon frère zigzaguait entre les tables, serrant des mains au passage, comme un candidat en campagne.

S'il y avait bien une chose qui comptait à Beverly Hills, c'était de soigner les apparences. À ce petit jeu, Tommy s'en tirait admirablement.

— Frérot ! me lança-t-il en arrivant devant moi.

Nous nous saluâmes avec une certaine réticence. Il me donna une petite tape dans le dos.

— Comment ça va ? m'informai-je.

— Super, répondit-il en glissant sur la banquette. Je ne peux pas rester longtemps. Je commande.

La serveuse se posta devant notre table, la main sur la hanche, et se mit à flirter avec Tommy. Mon cerveau fonctionnait à plein régime : comment allais-je lui faire part de ce que je venais d'apprendre ?

— Alors, on dirait bien que ton pote Cushman vient de buter sa femme, lança-t-il une fois la serveuse partie.

— Ce n'est pas lui.

— Tu es prêt à parier ?

Mon frère gérait une société du nom de Private Security, dont l'activité principale consistait à fournir des gardes du corps à des célébrités ou à des hommes d'affaires. Bien plus que moi, Tommy avait grandement profité des contacts de notre père.

— Papa avait beau être une ordure, reprit-il en balayant la salle du regard, il faut bien admettre que, sans lui, il nous aurait fallu un sacré bout de temps pour en arriver là où nous en sommes.

— Tu t'en sors vraiment si bien que ça ? Je suis heureux de l'apprendre.

— Bien sûr. La moitié des gens ici sont mes clients.

La serveuse nous apporta nos plats, des crabes avec des nouilles à l'ail.

— Vous prendrez autre chose ? demanda-t-elle.

— Ça ira, ma poule, répondit Tommy avant de se tourner vers moi, non sans une certaine méfiance. Alors, de quoi s'agit-il ?

— Il paraît que tu continues à parier.

— Qui donc t'a dit ça ? Annie ? Cette petite…

— Je ne lui ai pas parlé.

— … garce, compléta-t-il, en référence à son épouse et mère de son fils, modèle de patience et d'indulgence. Pourquoi l'as-tu appelée, Jack ?

— La dernière fois que j'ai parlé à Annie, c'était à Noël.

— Cette ingrate ! Elle ferait mieux de me remercier pour la vie que je lui ai offerte, pesta Tommy en attrapant son crabe à pleines mains. Fringues, voitures… Une vraie petite princesse. Va encore falloir que je lui apprenne à la boucler, à celle-là.

— Elle est au courant que tu dois 600 000 dollars à la mafia ? Je crois plutôt que c'est le genre de détail que tu as oublié de lui mentionner.

— Ça ne la regarde absolument pas, grande gueule. Et ça ne te regarde pas non plus. Fais-moi confiance, je suis assez grand pour me débrouiller.

— J'aimerais pouvoir le croire.

— Va te faire voir. Et surtout, ne m'appelle pas. Une carte à Noël, ça suffira. Et même, pas de carte, ce sera encore mieux.

Il jeta sa serviette sur la table et se dirigea en trombe vers la sortie.

34

Déposant 200 dollars sur la table, je lui emboîtai le pas. Le restaurant donnait sur Little Santa Monica Boulevard, une grande artère très fréquentée qui traversait une impressionnante quantité de bureaux parsemée de magasins en tous genres : droguerie, téléphonie mobile, cafés branchés et banques d'affaires.

— Tommy ! lui hurlai-je. Laisse-moi au moins te parler ! Tommy !

Visiblement furieux, il se retourna brusquement, les poings serrés le long du corps. Nous avions déjà eu des différends par le passé, mais les choses semblaient plus graves, cette fois-ci.

— Ne te mêle pas de mes affaires, Jack. Je t'ai dit que je pouvais me débrouiller. Ces mecs-là, je les connais.

— Tu as de quoi les rembourser, tes dettes ? À ce que je sais, la mafia va commencer les passages à tabac, et tu es le prochain sur la liste. Et ça, c'est avant qu'ils ne sabotent ta voiture et reprennent ton business.

— S'ils me butent, railla-t-il, ils ne récupèrent pas leur fric. Je me trompe ? Reste en dehors de ça, Jack. Et ne m'oblige pas à te le répéter.

— Ça va te faire marrer, mais si je m'implique autant, c'est uniquement pour Annie et Ned.

— Ben voyons, tu ne veux pas une auréole non plus ? T'en as pas marre de jouer les saints ?

— Donc, plutôt que d'accepter mon aide, et au risque d'y laisser ta peau et celle de ta famille, tu préfères te complaire dans ton égoïsme et ton irresponsabilité. C'est bien ça ?

— Tu me proposes quoi ? lança-t-il avec un sourire amer. Un crédit relais si je coupe les liens avec mon bookmaker ? T'es complètement cinglé, mon pauvre !

Il me tourna le dos et s'en alla d'un pas décidé. Je le rattrapai et lui posai la main sur l'épaule.

Je m'étais tellement souvent battu avec Tommy que je vis sa droite venir avant même qu'il n'ait eu le temps de se retourner.

J'esquivai et lui assenai un coup de coude dans le ventre. Nous tombâmes tous les deux, et le corps replet de mon gourmand de frère se chargea d'amortir ma chute.

Il tenta de m'agripper la tête. J'anticipai sa prise et lui coinçai les mains derrière le dos en remontant les poignets jusqu'aux omoplates.

— Aïe… Écoute-moi, abruti… Si un de mes gars te voit faire ça, il t'explose la tronche. Et ce n'est pas moi qui vais l'arrêter.

— Je t'emmène quelque part. Et tu vas me suivre bien gentiment.

— T'es taré ! Aaaaaïe…

— Ta meilleure chance de t'en sortir, c'est moi, crétin. Ç'a *toujours* été moi.

— Enfoiré, grogna-t-il. Je souhaite te voir crever.

La vérité m'éclata à la figure. Comment ne l'avais-je pas compris plus tôt ? Comment mon esprit avait-il pu refouler une telle évidence ?

— C’est toi qui m’appelles, hein, Tommy ? Jour et nuit, tu m’as appelé pour me souhaiter de crever.

— Quoi ? Aïe ! Bordel, non. Jamais. Jamais je ne t’ai appelé, enflure.

Des sanglots dans la voix, Tommy se dégonfla finalement.

— Ces salauds, ils ont tué mon chien, gémit-il.

— Qui ? Qui a fait ça ? Ton chien ? Le chien de Ned ?

— Des gars de la mafia.

— Je suis désolé, Tommy. Je te laisse te relever, mais on arrête les bêtises, maintenant.

— Si tu veux que je te remercie, tu peux toujours courir.

— Je veux juste que tu me suives. Sans faire de difficultés.

— Parfait. Ce que tu voudras.

— Promis juré ?

— Promis juré, cracha-t-il à contrecœur.

35

Marguerite Esperanza annonça à sa grand-mère qu'elle serait de retour dans quelques minutes. Elle claqua la porte et quitta la petite maison en stuc marron et au toit en tuiles rouges sur St George Street, à cinq minutes du vidéoclub où elle s'était déjà rendue plusieurs centaines de fois par le passé.

Ses écouteurs d'iPod enfoncés dans les oreilles, elle s'élança sur Rowena, l'une des trois grandes artères qui menaient au lycée John Marshall. Pizza Hut, Blockbuster et autres restaurants de sushis à emporter bordaient les trottoirs de ce grand boulevard à quatre voies, très fréquenté et parfaitement sûr.

Aucun problème à l'horizon. De toute façon, les problèmes, ça ne lui faisait pas peur, à Marguerite. Elle fit signe à un groupe d'ados qu'elle connaissait et se dirigea vers l'enseigne lumineuse qui clignotait, deux rues plus loin. Son téléphone se mit alors à vibrer pour lui signaler qu'elle venait de recevoir un texto.

Elle ne reconnut pas le numéro, mais personne d'autre que Lamar Rindell ne l'appelait « tigresse ». Lamar était un élève de terminale super mignon qui avait pris l'habitude de flirter avec elle. Ils sortaient parfois ensemble après les cours, mais toujours en compagnie d'autres élèves et, jusqu'à maintenant, Marguerite était restée sur sa faim. L'échange de SMS débuta.

— Tu fais quoi, tigresse ?

— Je loue une vidéo. *Twilight chapitre 2*. Cool, les vampires.

— Video World ?

— Oui ☺ C'est tout près, hein ?

— Partante pour une pizza ?

— Peux pas.

— D'accord. Pas grave.

Marguerite prit appui sur une boîte aux lettres pour s'accorder le temps de la réflexion. C'était mamie contre Lamar, et elle ne devrait pas avoir à choisir. Le Pizza Hut se trouvait au coin de la rue, un peu plus bas, et il ne faisait même pas encore nuit.

— En fait c ok, a+, écrivit-elle à Lamar.

Elle téléphona ensuite à sa grand-mère.

— Je vais me prendre une pizza et un coca. C'est à deux pas de la maison. Lamar me raccompagnera. D'accord ?

Marguerite répéta l'attitude qu'elle adopterait face au garçon. Elle se prépara mentalement à se souvenir de tout ce qu'ils se diraient ce soir-là pour pouvoir le répéter à Tonya, sa super copine préférée, une fois rentrée chez elle. Rien que d'y penser, elle ne pouvait s'empêcher de sourire.

Elle s'élança vers le vidéoclub, d'abord en marchant, puis en sautillant.

36

Un van Hyundai noir orné du logo d'une chaîne de télévision câblée parcourait les rues de Los Feliz.

— J'ai ton pigeon dans le viseur, annonça Morbid au type assis à côté de lui sur la banquette arrière. Elle vient de sortir de chez elle. Je crois que le poisson va mordre.

— Je suis prêt, confirma Jason Pilser, alias Scylla, le monstre grec à six têtes. Pousse-toi, je m'en charge. Elle est à moi, et à moi seul, hein ?

Morbid bougea son cul osseux et passa le clavier à Scylla, qui observa sur l'écran GPS l'icône représentant sa proie.

Il envoya alors un message à Marguerite en utilisant le nom de ce mec, Lamar, qui lui envoyait des textos depuis plusieurs semaines déjà. Jusqu'à présent, Marguerite lui avait systématiquement répondu. Après quelques hésitations, elle avait fini par accepter de retrouver Lamar au Pizza Hut.

Scylla sentit la sueur perler sur son front. Il enfila ses gants en jersey neufs.

Les enceintes du véhicule lui retransmirent la conversation entre Marguerite et sa grand-mère. Au moment où elle s'interrompit, Freezer gara le véhicule le long de Rowena, à moins d'une vingtaine de mètres de la pizzeria.

Scylla scruta l'icône de Marguerite qui se rapprochait de celle du van. À travers la vitre teintée, il regarda la jeune fille qui venait de dépasser la papeterie.

— Belle plante, observa-t-il.

— Elle est à toi et à toi seul. C'est *ta* plante. Tu te sens à la hauteur ?

Telle une éclipse de lune, Marguerite traverserait pendant quelques secondes le petit bout de trottoir qui séparait la blanchisserie du van.

— Vas-y, Scylla ! l'encouragea Morbid. Maintenant.

Jason Pilser ouvrit la portière.

Sa victime était plus grande qu'il ne le pensait. Bâtie comme une athlète, elle mesurait bien un mètre soixante-quinze. L'agresseur ne prit pas le temps de réfléchir : il bondit sur le trottoir derrière elle et lui jeta un sac de jute sur la tête. Puis il tira sur les ficelles.

La fille se débattit violemment, hurlant à pleins poumons. Il lui plaqua la main sur la bouche. Sous l'effet de l'adrénaline, il n'eut aucun effort à fournir pour la soulever et, avec l'aide de Morbid, la jeter à l'arrière du van.

Ce dernier claqua la porte et tambourina contre la vitre qui le séparait du conducteur pour signaler à celui-ci de démarrer. Les deux ravisseurs tentèrent alors d'immobiliser la fille qui gigotait dans tous les sens.

— Je te tiens, lui dit Scylla. Maintenant, sois gentille.

— Si tu fermes ta gueule, beugla Morbid, on te donne une chance de gagner.

Scylla avait la bouche sèche. Il se sentait comme dopé à l'adrénaline. Plus question de reculer maintenant.

— Qu'est-ce que vous voulez dire ? demanda Marguerite. Une chance de gagner quoi ?

37

Les freins crissèrent lorsque le van s'arrêta. Après avoir ouvert les portières, Scylla et Morbid attrapèrent leur victime, l'un par ses interminables jambes, l'autre par ses interminables bras, pour la jeter à terre.

En un éclair, celle-ci roula sur elle-même, retira le sac de sa tête et se redressa brusquement. Éloignant ses ravisseurs d'un coup de pied circulaire, elle se retrouva bientôt face à Scylla, qui se tenait en position de combat à moins d'un mètre d'elle.

Le visage dissimulé par une cagoule de ski, le jeune homme lui souriait. Elle ne ressemblait en rien aux combattants qu'il avait affrontés sur Commandos of Doom. Déroutante et stimulante à la fois, sa réalité physique se posait comme un défi.

— Hé, tigresse ! lui lança-t-il. Minou, minou.

— Qui es-tu ? lui hurla-t-elle.

— Je suis celui qui va te tester. C'est toi contre moi, Marguerite.

Elle balaya les alentours du regard. Ils se trouvaient le long de Rowena, bien au-delà du centre commercial et des magasins. L'endroit semblait à peu près aussi hospitalier que la face cachée de la lune.

Derrière un grillage, les voitures filaient à toute allure.

Morbid et Freezer dansaient autour d'elle, prenant des postures d'arts martiaux que Scylla avait à d'innombrables reprises utilisées dans Commandos of Doom. Elles étaient destinées non seulement à déstabiliser l'adversaire, mais également à l'empêcher de prendre la fuite.

Mais, tandis que d'autres filles auraient simplement crié ou supplié, Marguerite se rua sur Scylla. Il y eut un craquement sec : le poing de la jeune fille venait d'écraser le nez de son agresseur, qui tomba en arrière avec un hurlement de douleur. Il la vit à ce moment détaler, esquivant les deux autres comme elle l'aurait fait pour une ligne de défenseurs dans un match de basket.

Mais Freezer réussit à lui attraper les cheveux par la racine, la faisant basculer à terre. Puis il recula d'un pas : ce n'était pas son tour de jouer.

Scylla savait ce qu'il lui restait à faire. Il se rua sur elle, s'imaginant ainsi l'immobiliser par une prise de tête. Mais, encore une fois, Marguerite se montra trop rapide pour lui.

Elle tourna sur elle-même et lui assena une prise de judo qu'elle compléta d'un coup de pied dans les parties génitales. Il détourna l'impact sur sa cuisse, mais la douleur resta vive malgré tout. Une nouvelle attaque lui paralysa l'avant-bras.

Il esquiva plusieurs de ses coups ; lorsqu'elle parvint à l'atteindre à nouveau, il garda l'équilibre. Il se nourrissait de la douleur, à présent ; une douleur bien réelle, dans un jeu où la mort le serait tout autant.

Il sentit alors la fureur monter en lui et se mit à danser autour de son adversaire. Morbid et Freezer abreuvaient la jeune fille de leurs sarcasmes, gesticulant autour d'elle.

— Je me souviendrai de vous, leur hurla-t-elle avec un rictus guerrier. Toi, toi, et tout particulièrement toi, sale con !

Elle lança un nouvel assaut qui manqua sa cible. Scylla en profita pour saisir sa chance et lui assener un coup sur la nuque du tranchant de la main. Il la fit ensuite tomber par un croc-en-jambe.

— Pourquoi ? pleura-t-elle. Pourquoi ?

Puis, d'un bond, elle se redressa et se rua sur Scylla, lui plantant son pied dans la gorge. Il s'écroula, et la jeune fille tenta à nouveau de s'enfuir.

— Elle est trop forte pour lui, déclara Freezer à Morbid en éclatant d'un rire sinistre.

Elle était sur le point de leur échapper, il fallait réagir. Se saisissant de son revolver, il lui tira une balle dans le dos. Elle s'écroula sur Scylla.

Freezer se pencha sur Marguerite qui gisait, agrippant ses entrailles.

— Tu étais super, lui annonça-t-il avant de lui tirer en plein visage.

Deux fois, pour être sûr.

— C'était vraiment cool, confirma Morbid en s'approchant du cadavre. Elle était géniale.

38

Jason Pilser aurait voulu relever la tête et hurler. La douleur prenait sa source au niveau du nez avant d'irradier dans tout son corps. Des palpitations agitaient sa cuisse gauche et son avant-bras droit, lequel était sans doute cassé. Si la douleur pouvait se manifester visuellement, il scintillerait comme un putain de feu d'artifice, à l'heure qu'il était.

Mais il y avait une justice, malgré tout. Cette salope avait fini par crever. Il lui appartenait désormais de mettre le cadavre en scène.

Il lui scotcha l'extrémité d'un câble électrique à la main, qu'il positionna par-dessus sa tête; il passa l'autre bout du câble autour de son cou, de sorte qu'elle donnait l'impression de s'être pendue. Une touche d'humour macabre qui lui aurait servi de mode opératoire si Freezer n'avait pas dû abattre la fille.

Si seulement la souffrance avait été moins intense… Il aurait alors pu s'amuser. Il lui retira ses baskets et les balança à l'intérieur du van, en guise de trophées. Elles étaient tellement grandes qu'il pouvait presque les porter.

Ça, ça serait cool!

Il s'apprêtait à le faire remarquer aux deux autres lorsque, se tournant vers eux, il se ravisa. Il avait affaire à deux sauvages, il fallait bien l'avouer. Tous les trois, ils obéissaient à une même drogue : l'incroyable excitation que leur procurait le meurtre. Et ils étaient suffisamment malins et disciplinés pour pouvoir assouvir leur passion dans un quartier aussi fréquenté que celui-ci.

C'était tout de même incroyable : il venait de participer au meurtre d'une ado alors même que, de l'autre côté de la clôture, les voitures circulaient sans discontinuer !

— C'était complètement minable, Scylla, commenta finalement Freezer avec un regard sombre.

Les blessures qu'avait subies Jason venaient de lui coûter des points.

— Tu veux rire ? se défendit celui-ci. C'était une pro du judo !

— Allez, on remonte dans le van, annonça Freezer. Tu auras à nouveau ta chance. En espérant assister à un spectacle un peu moins pathétique, la prochaine fois.

39

Cruz et Del Rio laissèrent la Mercedes au voiturier et quittèrent le parking du Beverly Hills Hotel pour traverser le lobby en direction du Polo Lounge. Le maître d'hôtel leur annonça que Mlle Rollins les attendait sur le patio, juste en face. Cruz retroussa ses manches et, précédé de son collègue, s'avança sous un soleil aveuglant.

Sherry Rollins lui donnait l'impression de n'avoir qu'une petite trentaine d'années, mais il devenait de plus en plus difficile de déterminer l'âge d'une femme dans cette ville. Coiffée d'un chapeau souple, elle arborait une robe noire à motifs blancs et semblait sortir tout droit d'un studio de production.

Ils serrèrent tous deux la main de cette belle femme blonde et se présentèrent à tour de rôle. Elle fit descendre son chien de l'une des chaises et les pria de s'asseoir.

— Vous avez faim ? leur demanda-t-elle. La salade de homard est délicieuse.

— Quelque chose à boire, peut-être ? répondit Del Rio.

La serveuse lui apporta une bière, ainsi qu'un thé pour Cruz, qui entama immédiatement l'interrogatoire.

— Mademoiselle Rollins…

— Appelez-moi Sherry.

— Sherry, nous enquêtons sur la mort de Shelby Cushman. J'imagine que vous êtes au courant.

— Un cambriolage, c'est bien ça ? Le malfrat est entré par effraction et l'a tuée par balle.

— En fait, non, intervint Del Rio. Tout nous porte à croire qu'il s'agit d'un meurtre avec préméditation. Aucun objet n'a été dérobé.

— C'est complètement dingue, s'étonna-t-elle. Je suis certaine d'avoir entendu parler d'un cambriolage. Autrement, quelle raison aurait-on de tuer Shelby ?

— Vous la connaissiez bien ? reprit Cruz tout en remuant le sucre dans son thé.

— Nous nous fréquentions depuis quelques années. Je ne dirais pas que nous étions proches.

— Mais elle travaillait bien pour vous, non ? En tant qu'*escort girl*, il me semble.

— Plus depuis qu'elle s'était mariée, répliqua Sherry Rollins sans la moindre hésitation. Ces deux derniers mois, elle travaillait pour quelqu'un d'autre. C'est ce qu'on m'a dit, en tout cas. Je suis désolée, je suis très perturbée.

— Ça nous aiderait vraiment si vous nous racontiez tout ce que vous savez. Et ne laissez rien de côté. Essayez de contenir votre douleur.

— Je ne sais rien de plus que ce que je viens de vous dire.

— Je suis sûr que si, rétorqua Del Rio d'un ton parfaitement froid et professionnel. Vous en savez bien plus. Et laissez-moi vous dire une chose : si vous nous aidez, nous n'irons pas trouver la police pour leur dire que nous vous considérons comme suspecte dans le meurtre de votre amie.

— Suspecte ? C'est ridicule. Quelle raison aurais-je de tuer Shelby ?

— Je n'en sais rien, mais la police aimerait sans doute vous interroger à ce sujet – ou à d'autres sujets, d'ailleurs.

Elle lui lança un regard glacial. Il la tenait, et il le savait.

Il y avait des journées comme celle-ci où Del Rio se félicitait d'avoir choisi ce métier.

Des journées cinq étoiles.

40

Aux alentours de 16 heures, le soleil n'était plus qu'un disque livide dans un ciel d'acier. Il suffisait de loucher pour faire disparaître Los Angeles ; le vacarme de la circulation sur Rowena s'apparentait alors à une bourrasque un peu rude.

Les talons plantés dans la terre humide, Justine Smith dévala la pente jusqu'au cordon de sécurité, un cercle jaune vif dressé d'arbre en arbre au milieu de la brume et de la pollution.

Le lieutenant Rikki Garcia la laissa passer ; ce faisant, elle se dispensa de ses sarcasmes habituels pour se contenter de la saluer. Un changement semblait s'être opéré et Justine pensait en connaître l'origine : le désespoir aidant, Garcia aurait accepté l'aide de n'importe qui.

Même celle de Private. Même celle de Justine.

— Le commissaire Fescoe souhaiterait te voir, lui annonça le lieutenant. Il est ici.

L'enquêtrice acquiesça et se dirigea vers le petit attroupement de policiers autour du corps. Du haut de son mètre quatre-vingt-quinze, Mickey Fescoe se détachait du lot. Ce n'était pas fréquent de rencontrer un commissaire sur une scène de crime ; sans doute avait-il lui aussi pris conscience du caractère explosif de la situation.

Treize jeunes filles étaient décédées en à peine plus de deux ans. Promu commissaire au beau milieu de cette vague meurtrière, Fescoe risquait de voir cette accumulation de mauvaises nouvelles plomber sa carrière. Les parents des victimes avaient créé un comité d'action que l'on pouvait voir tous les soirs à la télévision. La peur et la colère gagnaient l'opinion publique au point de lui donner, à elle aussi, des envies de meurtres.

Justine posa la main sur le bras du commissaire.

— Content de te voir, l'accueillit-il en se retournant. Regarde un peu. C'est l'escalade. Ça devient de pire en pire.

Il lui tendit une paire de gants en latex. La *profiler* se pencha sur le corps de Marguerite Esperanza. Autour du cou de la jeune fille de dix-sept ans, le tueur avait passé une rallonge électrique en guise de nœud coulant. L'autre extrémité du câble avait été enroulée autour de sa main gauche, que l'on avait positionnée au-dessus de sa tête selon un angle improbable.

Le plus étrange, c'était qu'on lui avait tiré dessus : une fois dans le dos et deux fois dans la tête. Pourquoi alors vouloir donner l'impression que la fille s'était pendue ? Quelle signification accorder à cette mise en scène ? Encore une fois, la méthode utilisée semblait pointer vers un tueur différent.

— Des témoins ? interrogea Justine. Des indices quelconques ?

— On dirait bien qu'elle a été tuée sur place, répondit Fescoe. La terre a été remuée comme s'il y avait eu une bagarre. On a trouvé du sang sur un tas de feuilles.

Le sien ou celui du tueur. Peut-être a-t-elle réussi à blesser cette ordure avec ses ongles. Espérons-le. Que ce ne soit pas toujours aux gentils de souffrir.

— Et son sac à main ? On l'a retrouvé ?

— Non. Il a disparu, tout comme ses chaussures. La voilà, votre signature. Deux gamins ont trouvé le corps et ont téléphoné. Ils ont dit qu'il n'y avait personne lorsqu'ils l'ont découverte, il y a une heure de cela.

Justine posa la main sur la joue glaciale de la jeune fille. Marguerite avait été jolie et semblait plutôt robuste. Ses bras et son visage portaient des ecchymoses. Elle avait pris de sérieux coups avant de mourir.

— La pose est de toute évidence artificielle, déclara Justine. Mais le mode opératoire est, encore une fois, différent des précédents. Pourquoi a-t-elle été tuée si peu de temps après Connie Yu ? Et pourquoi la tuer par balle avant de faire comme si elle avait été pendue ?

41

Le luxueux appartement de Scylla se trouvait au 802 Burton Way, dans la même avenue que l'hôtel Four Seasons. Son immeuble faisait partie d'une rangée de quatre résidences de neuf étages et de très haut standing.

Jason habitait au dernier étage dans un loft avec terrasse circulaire et vue imprenable sur les collines de Los Angeles. Il n'avait jamais eu de vrais amis, mais grâce à cet appartement, il avait pu s'en faire des faux, et même rencontrer quelques filles.

Il se tenait sur la terrasse, regardant les lumières de la ville se fondre dans le ciel urbain, et le ciel dans l'immensité de l'univers. Le spectacle, qui ne manquait jamais de l'impressionner, le laissa cette fois-ci de marbre.

Il rentra et alluma son écran plat pour regarder quelques minutes les Boston Celtics se prendre une rouste face aux Raiders. L'issue du match lui importait peu. Il se désintéressait de ce sport tant aimé des hommes sans imagination et sans gloire, prisonniers de leur petit quotidien.

Il avait fort à penser ce soir-là mais, assommé par les analgésiques, il doutait de sa faculté à raisonner. Demain, il lui faudrait expliquer à ses collègues les cocards, l'attelle au bras et le bandage qu'il portait sur le nez. Il se demandait ce qu'il allait bien pouvoir leur raconter.

En attendant, Morbid devait passer pour évoquer avec lui la possibilité d'une deuxième chance. Plusieurs textos avaient déjà circulé entre les deux hommes : Morbid lui expliquait notamment à quel point cet échec l'avait mis dans l'embarras, lui qui avait pris la responsabilité de le recruter.

Il planait sur Scylla comme une menace, même si l'offre de rédemption semblait bien réelle. Par amitié pour son frère d'armes virtuel, Morbid avait réussi à convaincre Freezer d'organiser une sortie impromptue lui permettant de racheter sa faute. Ils tenaient un joli petit pigeon à sa disposition, dont il allait devoir s'occuper le soir même.

— Si tôt que ça ? s'était étonné Jason.

— Ça te pose un problème ? avait rétorqué Morbid.

— Non. Allons-y pour ce soir.

La sonnette retentit. Il se leva du canapé pour se diriger à pas chancelants vers l'interphone.

— C'est nous, annonça Morbid.

— Montez.

Il allait devoir tuer une nouvelle fille. Seulement, cette fois-ci, ce ne serait plus seulement une partie de rigolade.

42

Ce fut Freezer qui pénétra le premier dans son appartement, suivi de Morbid. Tous deux semblaient sérieux et déterminés, donnant à Jason l'impression qu'ils étaient amis depuis bien longtemps, peut-être même en dehors du jeu. Si c'était bien le cas, c'était plutôt cool de leur part de l'accepter comme un des leurs.

— Comment va ton nez ? lui demanda Morbid, qui venait de s'avachir dans un fauteuil en cuir, tandis que son acolyte inspectait les étagères de livres.

— Ça va. Vous prenez une bière ?

— Pas pour moi, merci, répondit Freezer. Pas mal, l'appart, Scylla. La vue est incroyable.

Il se dirigea vers la baie vitrée donnant sur la terrasse. Jason le rattrapa en boitillant.

— Laisse-moi faire, s'interposa-t-il en tirant les rideaux pour activer la poignée. Je te préviens, ça en jette : on voit à près de cinquante kilomètres.

— Hey, Morbid ! lança Freezer avec un sifflement admiratif. Vise un peu, mec, on se croirait dans un film.

Jason déplaça les chaises bistrot en métal de façon à ce qu'ils puissent tous les trois admirer Los Angeles.

— Tu vois ça ? demanda Freezer à Jason en désignant un van orné d'un logo de télé câblée, garé de l'autre côté de la rue. Voilà ton salut, partenaire. Notre expédition de ce soir. Tu penses avoir à nouveau ta chance ?

— Oui, bien sûr, acquiesça Scylla.

— Eh ben, tu te goures complètement, pauvre mec. Le pigeon, ce soir, c'est toi.

Rapide comme l'éclair, Freezer se pencha et souleva Scylla par les genoux ; au même instant, Morbid le hissa sur le muret et lui maintint la tête au-dessus du vide. Trente mètres plus bas, le bitume l'attendait.

— Non ! hurla Jason. Je vous en supplie, reposez-moi. S'il vous plaît.

— Arrête de chialer, petite mauviette. Ouvre tes ailes et vole.

Le béton râpa le ventre de Jason : les deux autres venaient de le pousser un peu plus en avant. Dans la rue en contrebas, les voitures filaient à toute vitesse. Le sang afflua dans ses tempes, son cerveau tournait à plein régime. Que pouvait-il dire pour sa défense ? Qu'il s'agissait du meilleur jeu jamais conçu ?

Une série d'images défila devant ses yeux, sans cohérence aucune : la main de son père munie d'un stylo, le prêtre qui lui avait donné sa première communion, le regard de Marguerite Esperanza tandis qu'elle se débattait pour rester en vie.

Dans sa tête résonnait le son de sa propre voix.

Je ne suis pas censé mourir ainsi.

Je ne suis pas censé mourir.

Trop terrifié pour hurler, il bascula dans le vide. Avant de mourir, il entendit distinctement Freezer lui crier :

— Pauvre con !

43

En toute honnêteté, mes rêves semblaient parfois plus vrais que la réalité. Plus précis, plus distincts, et le plus souvent en couleur et en haute définition.

Je traversais en courant le terrain accidenté qui me séparait de la rampe d'embarquement du CH-46. Ce puissant hélicoptère se trouvait être le plus facile à abattre pour les Afghans : les missiles à infrarouge en prenaient le moteur pour cible comme s'il s'agissait du soleil lui-même. Les hurlements de douleur et les explosions de mortier me sifflaient dans les oreilles. Parvenu au niveau de la rampe, je me tournai vers l'intérieur de l'engin et vis avec horreur…

Nom de Dieu !

Un bourdonnement sourd m'arracha à mon rêve et à tout espoir de pouvoir me confronter à la source de mes cauchemars.

Je portai le téléphone à l'oreille.

— Rick. Je ne me suis pas réveillé. Ça ne m'arrive jamais.

— Aucun souci. J'ai quelque chose à t'annoncer, mec. Et ça risque de ne pas te plaire.

Un goût de poudre dans la bouche, je me redressai et posai les pieds au sol. Mes genoux tremblaient, comme si je venais de courir sur un champ de rocaille.

— Vas-y. Je t'écoute.

— C'est à propos de Shelby, poursuivit-il. Elle n'était pas tout à fait le genre de personne que l'on croyait.

À présent, je me sentais parfaitement réveillé.

— Qu'est-ce que ça veut dire ? Qu'as-tu découvert ?

— C'était une prostituée, lâcha-t-il. Ou plutôt une call-girl pour soirées arrosées, dirons-nous. Bref. Quoi qu'il en soit, elle a continué ce boulot *après* avoir épousé Cushman.

— C'est n'importe quoi, crachai-je avec colère. Qui t'a dit ça ?

— Jack, Jack, calme-toi. Tu sais que jamais je ne te mentirais. Cruz et moi tenons cette information de source sûre. Habille-toi. Je suis devant chez toi dans un quart d'heure. Nous avons un témoin à interroger.

Dix minutes plus tard, je jetai mon attaché-case sur la banquette arrière de la Mercedes classe S de Rick, qui me tendit un café dans un gobelet en plastique.

— Shelby n'était pas une pute, lançai-je. J'en suis absolument certain. C'est des conneries, tout ça.

— Tu continues de penser que je te mens ? Quel intérêt aurais-je à agir ainsi, Jack ?

— Ce n'est pas ce que je veux dire.

— Attache ta ceinture. Il est temps de faire la lumière sur cette affaire. De savoir qui l'a tuée, et pourquoi.

Del Rio manœuvra le véhicule à travers la brume matinale. Le quartier se fit de plus en plus huppé à mesure que nous montions dans les collines, longeant des villas à plusieurs millions de dollars nichées au milieu de superbes jardins avec vues imprenables. Rick se gara finalement devant l'immense grille en fer forgé de l'une des plus belles maisons de Beverly Hills.

Depuis le début des années 1940, le 2708 Benedict Canyon Road avait été successivement la propriété d'un célèbre chroniqueur de la presse mondaine, d'un metteur en scène décoré d'un oscar et d'un prince saoudien. L'immense villa de style méditerranéen arborait désormais la sobre appellation de « The Benedict Spa ».

À l'instar de la police et des hommes quelque peu fortunés de la région, je savais pourtant que ce qui se cachait derrière cette résidence à flanc de colline n'était rien d'autre qu'un bordel de luxe, actuellement géré par Glenda Treat, maquerelle des stars et des faiseurs de stars. Le propriétaire en était Ray Noccia.

— Tu ne vas quand même pas me dire que Shelby travaillait ici ? m'entendis-je déclarer à Rick.

Celui-ci hocha la tête pour confirmer.

— Mme Treat ne nous attend pas, me prévint-il. Il faut l'interroger sur Shelby. Autant prendre nos informations à la source. Je te conseille d'utiliser ton fameux talent de séduction.

— Je ne me sens pas d'humeur particulièrement charmeuse, ce matin.

— Fais un petit effort.

44

À une vingtaine de mètres en contrebas de l'entrée principale se trouvait une grille qui n'avait pas été verrouillée. Suivi de Rick, je me frayai un chemin à travers la broussaille qui recouvrait cette partie du jardin de Glenda Treat, repoussant une à une les branches devant moi jusqu'à parvenir en vue de la piscine.

Je m'arrêtai sur une terrasse dallée pour laisser à mon collègue le temps de me rattraper. J'en profitai également pour observer la scène se déroulant devant moi.

Un assortiment de très jolies jeunes femmes à la silhouette élancée se prélassait sur des chaises longues bleu pastel, caressant l'eau du bout des pieds. Leur disposition autour de la piscine évoquait un plateau de crudités.

Del Rio me désigna du menton une femme d'une quarantaine d'années, les cheveux blonds coiffés en queue de cheval. Une visière style croupier de Las Vegas cachait ses yeux.

— C'est elle, déclara-t-il.

À l'instant où mon regard se porta dans sa direction, Glenda Treat se tourna et nous aperçut.

Elle n'avait pas pris une ride depuis qu'elle avait fait la une des journaux sous le titre « La Maquerelle du parrain », quelques années plus tôt. Arrêtée pour proxénétisme, elle avait menacé de livrer le nom de tous ses clients à la presse : une interminable liste de politiciens, hommes d'influence et autres éminences grises. Au final, elle s'était contentée de tirer ses cinq ans de prison sans rien livrer de ses secrets. À sa sortie, on racontait que Ray Noccia lui avait présenté les clés du futur Benedict Spa en témoignage de sa gratitude.

Je m'efforçai d'imaginer Shelby avec ces deux-là, mais mon esprit s'y refusait. Mon amie n'avait jamais rien eu à voir avec ce milieu, et elle n'avait pas la carapace pour. Pas la Shelby que je connaissais, en tout cas. Cette femme-là avait une remarque amusante pour chaque situation; elle vous aurait donné jusqu'à sa dernière frusque pour vous tirer d'ennui. C'était peut-être bien là le problème.

Glenda Treat se leva gracieusement de sa chaise longue pour s'approcher de nous. Elle nous observa un temps, comme pour nous évaluer, et j'en fis autant. Son goût pour la chirurgie esthétique ne faisait aucun mystère; en témoignaient ses yeux verts, tirés à la mode Hollywood, de même que ses seins en forme d'oreillers. Je ne pus m'empêcher de me demander s'il lui arrivait de mettre une bouée ou si ces deux flotteurs artificiels la maintenaient à la surface.

Elle arborait son fameux sourire jugé irrésistible, qui, personnellement, m'avait toujours inspiré une certaine tristesse. Elle nous prenait bien évidemment pour des clients.

Je lui tendis ma carte.

— Je n'ai pas mes lunettes, précisa-t-elle.

Je lui expliquai que j'étais de Private. Elle connaissait. Tout le monde connaissait. Elle avait même entendu parler de moi.

— Que puis-je donc pour vous, messieurs ? demanda-t-elle avec un sourire nettement moins chaleureux. Manucure ? Soin aux algues ?

— J'aurais besoin que vous nous parliez de Shelby Cushman.

Son sourire disparut tout à fait.

— Je me suis laissé dire qu'elle était morte. Accordez-moi un instant.

Elle se pencha pour chuchoter à l'oreille d'une jeune femme brune d'une vingtaine d'années et, ce faisant, m'exposa ses cuisses et son dos nus. La fille attrapa un téléphone portable et s'éloigna de nous pour passer son appel.

— Je vais devoir vous demander de quitter ma propriété, nous annonça Glenda en se retournant vers nous. Ici aussi, c'est *private*.

— Ça ne prendra qu'une minute, protestai-je. C'est une affaire dont je m'occupe à titre purement personnel. Je travaille pour le mari de Shelby. C'était une amie.

— Monsieur Morgan, Shelby était une excellente masseuse. Elle pouvait faire quatre ou cinq massages par jour et donner l'impression à chacun de ses clients qu'il était spécial. Elle a commencé à travailler ici peu après son mariage. Je me souviens de l'avoir entendue dire qu'elle s'ennuyait à la maison, seule toute la journée. Concernant ce qui lui est arrivé, tout ce que je sais, je le tiens du *L.A. Times*. Un sacré torchon, comme vous le savez.

— Quelqu'un lui en voulait-il ? A-t-elle reçu des menaces ?

— Elle était très appréciée et avait le contact facile. Tout le monde l'aimait bien. Je crois qu'elle pensait être amie avec tout le monde. Vous l'avez dit vous-même.

Elle lança cette dernière remarque par-dessus mon épaule. Je me retournai alors pour apercevoir, sur le patio, trois hommes qui venaient de franchir la porte-fenêtre.

Ils étaient habillés de façon décontractée, avec un renflement sous l'aisselle. J'avais déjà aperçu deux d'entre eux la nuit où Ray Noccia m'avait rendu visite.

Le premier, vêtu d'une chemise, d'un pantalon et d'une veste noirs, sans cravate, me fixa droit dans les yeux. Je compris qu'il m'avait lui aussi reconnu.

— Que faites-vous ici, monsieur Morgan ? Vous avez rendez-vous pour un massage ?

J'ouvris les mains devant moi pour montrer que je ne cherchais aucun ennui. Trop tard. Les ennuis, eux, m'avaient trouvé.

— J'ai l'air du type qui a besoin de payer pour un massage ? rétorquai-je.

45

L'homme vêtu de noir était resté derrière Ray Noccia lors de notre première rencontre. J'avais aujourd'hui tout le loisir de l'observer : un type baraqué et armé, approchant la quarantaine, plutôt pas mal dans son genre.

— Vous connaissez Francis Mosconi, monsieur Morgan ? me demanda Glenda avec un sourire en direction du nouvel arrivant. Il est dans un secteur d'activité proche du vôtre.

— Francis ! m'exclamai-je en le saluant. Nous nous sommes déjà rencontrés.

Je reconnus également l'homme placé derrière lui. Il s'agissait du chauffeur de Noccia, le monsieur d'une cinquantaine d'années qui m'avait recommandé de ne pas refuser un entretien avec le patron. Maintenant, je le remettais : Joseph Ricci, le cousin du parrain.

Jeune, blond et bronzé, le troisième homme ressemblait à un garde-côte dans son polo jaune et son pantalon kaki.

Mosconi me dispensa une petite tape dans le dos. À quelques mètres de là, le garde-côte en fit autant avec Del Rio, qui le repoussa aussitôt.

— Bas les pattes ! s'écria-t-il. Et je ne vais pas le répéter !

Sans paraître s'émouvoir de cette menace, le garde-côte le poussa contre le mur, ce qui n'était sans doute pas la meilleure chose à faire.

Le gamin avait beau être plus jeune, et peut-être en meilleure forme que Rick, celui-ci ne se gêna pas pour lui envoyer un coup dans le nez avant de lui coller un terrifiant uppercut. Le blondinet valsa de quelques mètres.

Ce fut le moment que choisit Ricci pour plonger sur mon collègue et l'attraper par-derrière, lui immobilisant les bras tandis que Mosconi lui braquait un Beretta 9 mm sur la tempe.

— Stop ! criai-je. Ça suffit !

Je levai les mains en l'air, bien en vue. Mosconi s'approcha de moi et me décocha un violent coup de crosse avec son Beretta. Apparemment, ça ne suffisait pas.

M'écroulant à terre, je perdis connaissance. Quelques secondes plus tard, il se tenait au-dessus de moi dans un pâle contre-jour. Un relent acide emplit ma bouche. Je me fis la réflexion que personne ne savait où nous nous trouvions. Nos opposants étaient plus nombreux et mieux armés. Un duel se préparait, et le vent soufflait clairement du côté des méchants.

— Ça, c'est pour avoir manqué de respect à M. Noccia, expliqua Mosconi d'un ton posé, presque compassionnel. Maintenant, levez-vous, Morgan.

Je me redressai avec difficulté. Aussitôt debout, l'homme m'assena une droite sur le menton. Je titubai en arrière et m'écroulai à nouveau, brisant la table et l'une des chaises longues au passage. Des taches de couleur se mirent à danser devant mes yeux.

— Ça, c'est pour m'avoir appelé Francis, précisa-t-il.

Je sentis le métal froid de son flingue dans le creux de mon oreille. Les deux autres s'occupaient de passer Rick à tabac, ponctuant leurs coups de cris et d'injures.

— Vous avez quelques leçons de politesse à recevoir, Morgan. Vous et votre ami.

— Je comprends, lui assurai-je. Vraiment. Aidez-moi à me relever.

L'homme éclata d'un rire méprisant. Lorsqu'il me tendit la main, je lui tordis le poignet jusqu'à lui arracher un cri de douleur. Il trébucha à son tour.

Le Beretta tomba sur les dalles du patio ; je l'attrapai aussitôt pour en braquer le canon contre la tempe de l'homme en noir. Un partout.

— Jetez vos armes à terre, hurlai-je aux deux agresseurs de Rick. Et reculez d'un pas !

Joe Ricci fut le premier à obéir, suivi du blondinet.

— Morgan ! m'interpella Mosconi avec un sourire narquois. C'est fini. Vous gagnez, cette fois-ci.

Je ne voulais pas qu'on me suive et je tenais encore moins à me prendre une balle dans le dos ; aussi leur ordonnai-je à tous les trois de plonger dans la piscine.

Ricci retira sa montre et ses chaussures et, avec une grande délicatesse, pénétra dans le petit bassin. Mosconi balança sa veste et sauta comme un bolide. Del Rio força le garde-côte à plonger.

— N'oubliez pas ça, leur criai-je en balançant les flingues à l'eau.

Les call-girls se rapprochèrent de nous. L'une d'elles, une petite chose au regard vif, se protégea avec ses mains, visiblement dégoûtée par Mosconi.

— Et nous, comment on fait pour nager maintenant ? demanda-t-elle.

— Faites des brasses, bougez les pieds, rétorqua Del Rio.

De sa fenêtre cernée de lierre, Glenda Treat nous observa quitter sa propriété. Je lui adressai un petit signe de la main, auquel elle répondit, comme on pouvait s'y attendre, par un doigt d'honneur. Je n'eus, hélas, droit à rien d'autre lors de ma visite au Benedict Spa.

46

— Comme ça, au moins, on est quittes, m'annonça Del Rio, un paquet de serviettes en papier sur son nez ensanglanté.

Nous étions en route pour le bureau ; c'était moi qui conduisais.

— De quoi tu parles ?

— Tu viens de me sauver la vie. J'attendais ce jour avec impatience.

— Ne dis pas n'importe quoi. Ils nous taquinaient juste. C'est la fièvre qui te fait délirer.

— Merde, marmonna-t-il.

— Pourquoi Shelby travaillait-elle pour Glenda Treat ?

— C'était ton amie, Jack. Moi, c'est à peine si je la connaissais.

Mon téléphone vibra à l'intérieur de mon attaché-case. J'avais une bonne douzaine d'appels en absence.

— Où étais-tu, Jack ? me demanda Colleen lorsque je décrochai. J'ai passé mon temps à essayer de te joindre.

— J'étais au spa. Pourquoi ?

J'avais la mâchoire qui me lançait, l'estomac contracté par la douleur et l'ego en miettes. Rien de tout cela ne serait arrivé si j'avais eu mon flingue sur moi.

— Justine veut te parler.

— Passe-la-moi.

— Je lui dis que tu es d'humeur massacrante ?

— Passe-la-moi, Colleen. Je suis d'excellente humeur.

À l'autre bout du fil, Justine semblait particulièrement agitée.

— Le maire a reçu un e-mail de l'autre enfoiré, m'annonça-t-elle. Apparemment, il aurait laissé les baskets de Marguerite Esperanza dans une boîte aux lettres sur La Brea. Le labo est en train de les examiner à l'heure où je te parle. Jack, qu'est-ce que tu fabriques ?

— Attends une seconde.

Au coin de Sunset et Fairfax se trouvait une station-service, où je me garai.

— Le réservoir est plein, observa Del Rio.

— Va aux toilettes te laver. Tu as du sang plein la figure. Justine ? Tu es toujours là ?

— Du sang ? s'exclama-t-elle. Qu'est-il arrivé à Rick ? Que se passe-t-il ? Pourquoi tu n'es pas au bureau ? C'est quoi, cette histoire de spa ?

Je descendis de voiture et me dirigeai vers un coin isolé du parking pour raconter à Justine les événements de la matinée et les révélations de Glenda Treat au sujet de Shelby.

— Tu es psy, conclus-je, alors, explique-moi un peu. Pourquoi travaillait-elle dans ce milieu-là ?

— Difficile à dire sans la connaître.

— Imagine que tu aies un profil à faire. Tu viens juste de commencer.

— Shelby était humoriste, je crois, dit-elle après un temps de réflexion.

— Oui, et plutôt douée.

— D'accord. En combinant à doses égales narcissisme et haine de soi, on obtient soit une comique, soit une prostituée.

Il y eut une nouvelle pause.

— Désolée d'être aussi directe, s'excusa Justine, qui avait dû m'entendre soupirer.

— Shelby avait peut-être découvert un secret qu'elle n'était pas censée connaître. Sur les Noccia, peut-être.

— Je suis vraiment navrée, Jack.

— Ce n'est pas fini.

— Je sais. Tu rentres au bureau ? Doc et moi avons deux approches radicalement différentes sur l'affaire des lycéennes. Il nous faudrait une troisième opinion.

— On dirait bien que vous faites des progrès. J'arrive tout de suite.

47

Lorsque Del Rio et moi-même fîmes notre entrée dans la salle d'opérations de Private, la consternation fut générale.

— Il n'y a pas mort d'homme, les rassurai-je.

— Il y avait trop de témoins pour ça, précisa Rick, toujours aussi charmant.

Je me mis alors à leur exposer ma théorie sur les rapports entre Shelby Cushman et les Noccia. Colleen entra prendre notre commande pour le déjeuner et me dévisagea, visiblement impressionnée. J'avais la mâchoire sérieusement amochée et la pommette fendue. Heureusement qu'elle ne voyait pas le reste…

— Ils étaient plus nombreux que nous, avançai-je en guise de justification.

— La même chose que d'habitude ? se contenta-t-elle de me demander.

— Avec un supplément frites. Et un supplément glaçons.

Colleen partie, je filai droit dans le bureau de Doc.

— Jack, j'en ai parlé avec Mo, m'annonça-t-il. Nous sommes d'accord. Si le tueur arrive à appâter ses victimes avec de faux SMS, il a nécessairement dû avoir accès à leur téléphone en temps réel.

Mo portait un T-shirt sans manches qui laissait apparaître des bras couverts de tatouages colorés. Difficile d'imaginer qu'elle sortait de Harvard.

— Ce que Doc veut dire, expliqua-t-elle en retirant ses lunettes à double foyer, c'est que nous pensons que cette ordure les attend quelque part, probablement à bord d'un véhicule qui n'attire pas l'attention. Un van, je dirais. Ensuite, il intercepte le signal et accède au mobile de sa cible de façon anonyme.

— Si c'est le cas, compléta Doc, cela signifie qu'il a également la capacité de bloquer tous les autres messages entrants ou sortants. Autant que je sache, il n'existe aucun programme capable de pirater un portable à distance.

— Mais c'est tout à fait envisageable, reprit Mo. Si on peut l'imaginer, ça veut dire que c'est faisable.

48

Malgré ses gros cernes, Justine restait une très belle femme. Pourtant, je n'arrivais pas à me rappeler la dernière fois où je l'avais vue sourire. Cette affaire la dévorait de l'intérieur.

— Quelque chose me perturbait, ces derniers temps, dit-elle. Ce matin, j'ai enfin compris de quoi il s'agissait. Il y a cinq ans, une autre fille avait été retrouvée morte dans la même ruelle que Connie Yu. J'ai fouillé les archives du *L.A. Times* et j'ai déterré toute l'histoire. Elle s'appelait Wendy Borman, elle avait dix-sept ans. Tout comme Connie, elle était partie de chez elle pour faire une petite course sur Hyperion Avenue. On a trouvé son corps le lendemain matin.

— Et cette affaire n'a jamais été résolue ?

Justine fit non de la tête.

— Elle a été tuée par strangulation manuelle. Elle avait un hématome derrière l'oreille, le résultat d'un coup porté avec un objet contondant relativement lourd. Pas de témoin, pas d'agression sexuelle, et pas d'empreintes digitales. Ça te rappelle quelque chose ? En plus de cela, le tueur avait pris son sac à main et son téléphone portable. Elle portait un pendentif autour du cou, une étoile en or. On ne l'a pas retrouvé, alors que sa mère a affirmé qu'elle ne le quittait jamais. De toute évidence, le meurtrier a cherché à maquiller son crime en vol avec homicide. Du coup, je me demande depuis combien de temps ces meurtres ont lieu. Combien de filles ce pervers a-t-il tuées? De combien de façons différentes? Y en a-t-il eu d'autres avant Wendy Borman?

Nous profitâmes du déjeuner pour passer en revue les affaires en cours et nous répartir les tâches. Chacune des personnes présentes me coûtait une petite fortune de l'heure, mais cela n'avait aucune importance. Justine non plus ne s'en souciait pas.

— À partir de maintenant, annonçai-je, on se concentre exclusivement sur Cushman, la NFL et les meurtres de gamines. On ne fait rien d'autre tant qu'on n'a pas bouclé ces trois affaires. Et croyez-moi, on va les boucler.

D'un pas boiteux, je montai jusqu'à mon bureau, suivi de Colleen.

— Tu as reçu un appel, ce matin, me dit-elle. C'est peut-être une blague, mais en tout cas, ça fait peur. Il faut que tu l'écoutes.

Elle attrapa le combiné, lança la messagerie et enclencha le haut-parleur.

Cette étrange voix électronique, j'aurais préféré que Colleen ne l'entende jamais. « Tu es mort », m'annonçait mon interlocuteur.

Mon amie semblait terrifiée, et il y avait de quoi. Rien dans cette histoire ne laissait penser à un canular. Je la pris dans mes bras; elle émit un petit ronronnement semblable à celui d'un chat, avant d'éclater de rire.

Qu'allais-je donc faire de cette irrésistible jeune femme ?

— Je ne suis pas encore mort, Colleen, la rassurai-je. Pas encore.

TROISIÈME PARTIE
Que vient faire l'amour dans tout ça ?

49

Je me tenais aux côtés de Colleen au comptoir de la Mike Donahue's Tavern, un endroit qui fleurait bon la sueur après une dure journée de labeur.

— Je viens souvent ici après le travail, m'expliqua-t-elle.

Elle portait une veste rose cintrée par-dessus sa robe à fleurs. Ses longs cheveux tombaient en cascade sur ses épaules. Elle avait beau faire de son mieux pour s'intégrer à notre équipe, je comprenais tout à fait qu'elle puisse se sentir chez elle dans ce pub irlandais, avec sa brune à la pression, ses piliers de bar et sa lumière tamisée.

Pour autant, la direction que notre relation semblait prendre me mettait mal à l'aise. Car, pour Colleen, il s'agissait de passer aux choses sérieuses.

Sirotant notre pinte de Black and Tans, nous attendions qu'une table se libère tout en jouant aux fléchettes, plus précisément une variante pour débutants connue sous le nom de « Round the Clock ». La main avec laquelle je lançais me faisait toujours souffrir depuis la bagarre avec Joe Ricci, et Colleen me colla la pâtée.

— Tu ne devrais pas me laisser gagner, Jack, plaisanta-t-elle. Tu vas encore me tanner pendant une semaine.

— Tu ne penses tout de même pas que je fais exprès de perdre !

— Vise le numéro huit, me conseilla-t-elle avec une petite tape sur la cuisse.

Je manquai la cible à trois reprises. Aucune importance : je passai un excellent moment, et la longue silhouette de Colleen en position de tir offrait un spectacle particulièrement gracieux. Sa fléchette termina sa course sur le vingt, et la partie s'acheva.

— J'imagine que c'est à moi de t'offrir le dîner, conclus-je.

Avec un petit rire taquin, elle m'embrassa. Nous fûmes rejoints par son ami Mike Donahue, un barbu de trente-six ans qui, selon elle, souffrait déjà de la goutte.

— Alors, comme ça, voici l'homme qui nous a dérobé ton cœur, lança-t-il.

— Mike est un beau parleur, expliqua Colleen en m'agrippant par la taille.

Donahue nous conduisit jusqu'à une petite table dans un coin bien confortable de la salle du fond. Le repas terminé, les serveurs nous apportèrent un gâteau couvert de bougies.

Lorsque les applaudissements retombèrent, je me penchai en avant et Colleen m'embrassa à nouveau.

— Bon anniversaire, mademoiselle Molloy, dis-je en glissant un petit paquet doré dans sa main.

Son visage s'illumina. Elle retira le papier et souleva le couvercle de la boîte pour en sortir une montre en or.

— Jack… Elle est magnifique.

— Elle te va à merveille, Colleen.

— Ne t'arrête pas en si bon chemin, Jack. Va jusqu'au bout de tes sous-entendus.

Message reçu cinq sur cinq : à quand la bague ?

50

Colleen louait un petit pavillon sur Gower Street, à Los Feliz, un quartier chaleureux et un peu bohème composé de petites maisons familiales regroupées le long de rues tout à fait charmantes. Alors que nous étions assis dans la voiture, je m'efforçais de lui expliquer pourquoi je ne pouvais pas rester ce soir, bien que nous fêtions son anniversaire.

Des gens promenaient leur chien, des gamins dévalaient la rue en courant et en criant. Le cadre était tout à fait idyllique. Colleen baissa les yeux, le regard braqué sur sa petite montre en or, qui luisait faiblement à la lueur des lampadaires.

— Rick et moi prenons l'avion pour Las Vegas dans une heure, déclarai-je.

— Ça va, ne te fatigue pas, Jack. C'est moi qui ai réservé le billet pour McCarran.

— C'est juste pour le boulot, Colleen. Je ne vais pas au casino.

— Aucun problème, Jack. De toute façon, ce soir, je dois travailler. Ça n'aurait pas été très drôle pour toi. Merci encore pour ce merveilleux anniversaire, et pour le cadeau. C'est la plus belle montre que j'aie jamais eue, aucun doute là-dessus.

La main sur la poignée de la portière, elle me donna un baiser rapide.

— Je t'accompagne jusqu'à la porte.

Elle se rassit, attendit que je lui ouvre et descendit fièrement du véhicule. Je l'accompagnai jusqu'au seuil, le long des lavandes et des rosiers touffus. Elle fouilla dans son sac à la recherche de ses clés et me souhaita bon voyage.

— On se voit demain matin, lui répondis-je avant de reprendre en sens inverse l'allée aux fleurs odorantes.

Je culpabilisais terriblement de la laisser seule ce soir-là, mais je n'avais pas exactement le choix. À l'intérieur du pavillon, la lumière s'alluma. J'en profitai pour observer la silhouette de ma fiancée qui passait de l'entrée à la cuisine jusqu'au petit salon où, bientôt, elle se mettrait au travail, une tasse de thé à la main, la radio allumée pour seule compagnie.

Je l'imaginai, regardant sa nouvelle montre, ressassant dans sa tête tout ce qu'elle aurait pu me dire, tout ce qu'elle me dirait le lendemain. Je démarrai la voiture et m'élançai sur Beechwood Canyon. Profitant d'un feu rouge, je passai un coup de fil à Del Rio.

— Comment ça va ? lui demandai-je.

Depuis l'incident chez Glenda Treat, Rick broyait du noir.

— Je suis en train de partir, me répondit-il. Je serai à l'aéroport dans une vingtaine de minutes, à condition que ça circule.

— N'oublie pas de prendre ton flingue. C'est un conseil.

— Je t'adresse le même, Jack.

51

Carmine Noccia habitait à une demi-heure de l'aéroport McCarran et à quinze minutes du Strip de Las Vegas. Je me garai devant un immense portail dans une zone résidentielle strictement privée du nom de Spanish Trails. Célébrités, sultans, propriétaires de casinos et autres nababs à la fortune mystérieuse y écoulaient des jours paisibles. Des clients potentiels de Private.

Del Rio descendit de véhicule pour annoncer notre arrivée à l'interphone. Les grilles s'ouvrirent alors.

Je remontai une route sinueuse jusqu'à un nouveau portail doté d'un interphone. Del Rio sonna. On nous ouvrit.

Après avoir redémarré, nous fûmes immédiatement assaillis par le fracas d'une chute d'eau, en contrebas. Sous un pont coulait une rivière artificielle. Plus loin se trouvaient plusieurs terrains de tennis ainsi qu'une rangée d'étables. Nous approchâmes finalement d'une imposante maison de style espagnol, bordée de palmiers éclairés à leur cime par des spots.

Il semblait difficile de croire que cette incroyable oasis avait pu être construite sur quatre hectares de sable aride, mais c'était pourtant le cas.

Un homme vêtu d'un jean et d'une chemise rouge à col évasé ouvrit la lourde porte, nous fit entrer et nous ordonna de plaquer les mains au mur. Il nous confisqua nos armes et nous infligea une fouille au corps pour s'assurer que nous ne dissimulions aucun matériel d'enregistrement.

Del Rio se rembrunit. D'un regard noir, je lui fis signe de garder son sang-froid.

Le type à la chemise rouge nous guida à travers une enfilade de voûtes en pierre et de pièces aux plafonds très élevés, à l'intérieur de l'une desquelles une bande de caïds jouait au billard.

Nous arrivâmes alors dans une salle gigantesque dont les baies vitrées donnaient sur une piscine. Assis dans un fauteuil devant la cheminée, Carmine Noccia lisait un gros livre relié.

De corpulence moyenne, il avait le cheveu presque blanc en dépit de ses quarante-six ans. Il portait un pull et un pantalon en soie grise, tenue décontractée mais parfaitement taillée, et d'excellente facture. Il correspondait tout à fait à l'image que l'on pouvait se faire du parrain richissime, dernier rejeton de la dernière grande famille mafieuse de la côte ouest. Un type dont les revenus criminels s'élevaient à plusieurs millions de dollars par semaine.

J'en connaissais un rayon sur Carmine Noccia. Diplômé de Stanford avec tous les honneurs, il avait également obtenu un master en marketing à l'UCLA. Ses études terminées, il s'était posé en digne héritier de son père : au cours des dix dernières années, il avait trempé dans des réseaux de drogue et de prostitution afin de promouvoir les intérêts de la famille. Il n'avait jamais été arrêté pour meurtre, mais on avait retrouvé de nombreux corps de prostituées dans des bennes à ordures. L'un de ses intermédiaires, un type qui lui fournissait des filles en provenance des pays de l'Est, avait également disparu dans des circonstances mystérieuses. Et c'était chez cet homme que nous avions été délestés de nos armes…

Lorsque nous franchîmes le palier, notre hôte se leva immédiatement et, les mains dans les poches, se dirigea vers nous. Sur son invitation, nous prîmes place dans deux fauteuils situés à proximité du sien.

— Avez-vous apporté de quoi tirer votre frère de sa situation embarrassante ? me demanda-t-il aussitôt. Je l'espère, car sinon, nous perdons tous trois notre temps.

En guise de réponse, je tapotai la poche de ma veste.

— J'ai besoin de votre aide concernant une autre affaire, enchaînai-je. Shelby Cushman a été assassinée. Par un professionnel, semble-t-il. C'est également la thèse retenue par la police. Si vous savez qui a fait le coup, ça m'intéresserait beaucoup. C'était une amie à moi.

Del Rio se baladait désormais dans la pièce, examinant les photos et les fusils accrochés aux murs.

— Vous les montez, les chevaux, là-bas ? demanda-t-il à Noccia.

— Je ne sais pas qui a tué Shelby, enchaîna celui-ci tout en gardant un œil sur Rick. Tout ce que je peux vous dire, c'est qu'ici, on l'aimait beaucoup. C'était une femme bien. Drôle et intelligente.

Je sortis la mince enveloppe de ma poche et la tendis à mon interlocuteur. Il l'ouvrit et inspecta le chèque de banque, d'une valeur de 600 000 dollars, qui se trouvait à l'intérieur.

— Je transmettrai cela aux intéressés, déclara-t-il sobrement.

Il glissa l'enveloppe entre les pages de son livre, *L'Audace d'espérer*. Un choix intéressant. Je me demandai s'il soutenait Obama.

— Si j'apprends quoi que ce soit sur Shelby, je vous appelle immédiatement, m'assura-t-il. Vous m'avez impressionné, ce soir, Jack. Vous avez pris la bonne décision concernant votre frère.

52

Le lendemain matin, Andy Cushman m'attendait devant mon bureau. Il avait le visage écarlate et des marques de lunettes de soleil autour des yeux, preuve qu'il avait dû passer pas mal de temps au bord de sa piscine. Rasé et coiffé, il portait une tenue à peu près propre et bien repassée. Il n'avait pas encore touché le fond, mais il semblait évident que ce n'était plus qu'une question de jours.

— Tu as des nouvelles pour moi, dit-il.

Colleen nous apporta mon Red Bull ainsi que l'expresso d'Andy. Nous la remerciâmes tous deux.

— Andy, j'ai quelque chose à t'annoncer, et ça risque de ne pas te plaire.

— Ne t'en fais pas, Jack. Pas la peine de prendre des gants avec moi. Ce que je veux, c'est la vérité.

Avec un hochement de tête, je fis mine de comprendre. J'entrepris alors d'expliquer à mon vieil ami ce que nous avions découvert concernant sa femme et ses activités au Benedict Spa.

Bondissant de son fauteuil, Andy se mit à hurler, le doigt pointé dans ma direction.

— C'est quoi, ces conneries, Jack ? Elle travaillait là-bas ? Putain, mais c'est n'importe quoi ! Complètement faux ! Quelqu'un te fait marcher !

J'attendis qu'il finisse sa diatribe pour reprendre la parole. Je comprenais son indignation.

— Je ne te dirais pas une chose pareille si je n'avais pas tout vérifié de A à Z. Je suis désolé, mais c'est la stricte vérité.

Le visage empourpré par la colère, il peinait à reprendre sa respiration. Je crus un instant qu'il allait être victime d'une attaque, ici, dans mon bureau.

— Explique-moi une chose, Jack, reprit-il. Elle avait tout ce dont elle avait besoin. Nom de Dieu, on avait même une vie sexuelle très active. Ce sont des preuves dont j'ai besoin. C'est ton boulot, bon sang, d'apporter des preuves. Des preuves, Jack ! C'est tout ce qui compte.

— Del Rio et moi sommes allés à Las Vegas hier soir pour rencontrer Carmine Noccia.

— Que vient-il faire dans cette histoire ? Ça n'a strictement aucun sens, Jack.

— C'est lui le propriétaire du Benedict Spa. Il connaissait Shelby, et il avoue très volontiers qu'elle travaillait pour lui. Par contre, il ne sait absolument pas qui a fait le coup. Du moins, c'est ce qu'il prétend.

— Alors, comme ça, ma femme était une putain et une menteuse, et en plus de ça, elle bossait pour la mafia ? Mais *pourquoi*, Jack ? Elle ne manquait de rien.

— Je suis vraiment désolé, Andy.

— Donc, si je te suis bien, n'importe quel merdeux doté d'un flingue aurait pu la descendre. C'est bien ce que tu sous-entends ?

— On y travaille. On est tous sur le coup. On va le trouver, le mec qui a fait ça.

— Tu sais quoi ? rétorqua-t-il en frappant du poing sur la table. Ça ne m'intéresse même plus. Je ne veux pas dépenser un centime de plus pour elle. Laisse tomber, Jack. Qu'elle aille se faire foutre.

— Réfléchis bien. La police ne te lâchera pas tant qu'elle n'aura pas mis la main sur le tueur.

— Si ça peut leur faire plaisir… Ils n'ont rien contre moi, et ils ne trouveront rien. Tu viens de perdre un client, Jack. Tu es viré.

Il renversa sa chaise et sortit de mon bureau en trombe, bousculant Colleen au passage.

— Si j'ai bien compris, demanda celle-ci, la main sur la hanche, il nous vire ?

Je remarquai la nouvelle montre à son poignet.

— Non. Enfin, si. Il est furieux, mais il reste mon ami. Je fais passer cette affaire sur la liste *pro bono*. On continue à enquêter. Seulement, maintenant, on travaille gratuitement.

— Et moi, Jack ? Je suis encore ton amie ?

53

Cruz s'arrêta en contrebas du Benedict Spa et vit une superbe blonde sortir par l'entrée principale pour se diriger d'un pas décontracté vers l'endroit où il s'était garé.

Il s'agissait d'une jeune femme frêle et délicate, d'un mètre cinquante-cinq environ, coiffée à la garçonne et vêtue d'un haut en élasthanne vert, d'un short de cyclisme noir et de tennis à semelles plates. Elle désactiva l'alarme de sa Lexus décapotable.

— Excusez-moi, intervint Cruz en s'approchant d'elle. Vous avez une seconde ?

Pour toute réponse, elle monta dans sa voiture et lui ferma la portière au nez. L'homme sortit alors son insigne de sa poche arrière, lui tendit et lui fit signe d'abaisser sa vitre.

— Qui êtes-vous ? demanda-t-elle. Vous êtes du FBI ?

— Je suis détective privé, répondit-il avec le sourire. Ça ne prendra qu'un instant. Vous travaillez au spa, n'est-ce pas ? Ça ne sera pas difficile, je vous le garantis.

— Impossible, désolée. Reculez si vous ne voulez pas que j'écrase vos orteils.

— Je m'appelle Emilio Cruz. Vous êtes ?

— Carla. Prenez rendez-vous. Au spa, je peux vous parler autant que vous voudrez. Pendant des heures, si ça vous chante.

— Écoutez, restez dans votre voiture. Vous pouvez garder la portière fermée à clé si vous voulez. Je n'ai que deux ou trois questions, c'est tout.

Carla, nom de famille inconnu, mit le contact sans lui prêter plus longtemps attention. Cruz contourna alors le capot et s'approcha du siège passager. La fille tendit le bras et verrouilla la portière. Mais elle avait laissé la vitre baissée, et Cruz n'eut qu'à tirer sur la poignée pour ouvrir et s'asseoir à l'intérieur.

— Sortez ou je hurle, lui ordonna-t-elle. Et si je hurle, ils envoient quelqu'un vous casser la gueule. Ça peut dégénérer très rapidement, vous savez.

— Je n'ai aucune intention de créer des ennuis, ni pour vous, ni pour moi. Tout ce que je veux, c'est vous poser quelques questions à propos de Shelby Cushman.

— Vous pouvez me montrer cet insigne à nouveau ?

— Oui, bien sûr, acquiesça-t-il. J'ai une licence. Je ne suis pas flic. Je suis ici pour Shelby.

À la grande surprise de Cruz, la fille fondit en larmes.

— Je l'adorais, vous comprenez, expliqua-t-elle.

— À moi aussi, on m'a dit le plus grand bien d'elle.

— Elle aurait pleuré pour vous si vous aviez le moindre souci. Elle vous aurait donné jusqu'à sa dernière robe, même si vous n'en aviez pas voulu. Et puis, elle était tellement drôle…

— Que lui est-il arrivé ?

— Je ne sais pas si c'est vrai ou non, mais, à ce que j'ai entendu dire, on lui aurait tiré dessus dans sa chambre à coucher. À deux reprises.

— Carla, comment savez-vous qu'elle a été tuée dans sa chambre ?

— On en a parlé autour de la piscine. Je crois que c'est Glenda qui a mentionné ce détail.

— D'où Glenda tire-t-elle cette information ? C'est très important.

— Je n'en sais rien. Et je ne connais personne qui aurait pu faire le moindre mal à Shelby. Mais je suis contente que vous essayiez de découvrir la vérité.

— Entre nous, vous croyez que les Noccia sont impliqués ?

— C'est ce que vous pensez ?

Les bras croisés, Carla semblait s'être tout à coup repliée sur elle-même.

— Je vous pose la question.

— Shelby leur rapportait beaucoup d'argent, expliqua-t-elle, visiblement nerveuse. Elle n'a jamais causé le moindre problème. Je ne vois pas pourquoi ils l'auraient tuée.

— J'ai presque fini, lui annonça Cruz avec le sourire. Connaissiez-vous ses clients réguliers ? Y en avait-il qui vous semblaient particulièrement instables ? Ou particulièrement possessifs, voire vindicatifs ?

— Pas vraiment. Mais plusieurs types la voyaient très souvent. Deux d'entre eux venaient plusieurs fois par semaine. Shelby ne travaillait qu'en journée.

— Vous avait-elle parlé d'eux ? Qui étaient-ils ? Ça m'aiderait vraiment.

— Des gens d'Hollywood. Un metteur en scène et un acteur, du genre dur à cuire. Je ne peux pas vous donner leur identité exacte. Mais peut-être pouvez-vous deviner par vous-même. Vous aimez le cinéma ?

— Oui, bien sûr, comme tout le monde.

— Vous avez vu *Bat Out of Hell* ?

— Merci, Carla. Vous avez été super.

— Pas de quoi, mon cœur, dit-elle en remettant le contact. Vraiment. Ne dites rien à personne, par contre. Et, surtout, ne venez plus me rendre visite, que ce soit ici ou ailleurs. Je ne veux pas finir comme Shelby.

54

Cruz et Del Rio firent leur entrée dans mon bureau. Le premier ajusta sa queue de cheval, le second redressa la chaise qu'Andy avait renversée.

— Il nous a virés ? C'est une blague !

— Il a fallu que je lui dise pour Shelby. Il n'a pas voulu me croire.

— Difficile de lui en vouloir, lâcha Cruz.

— Tu m'étonnes, répondis-je. Ça vous est déjà arrivé de prier pour que vous ayez tort ?

— Donc, il nous a virés parce que tu lui as dit la vérité, résuma Del Rio.

— Il changera d'avis dans quelques jours.

— Tu crois vraiment ? douta Cruz en faisant la moue.

— Sinon, comment s'est passée votre journée ? demandai-je. Vous étiez sur cette affaire, non ? Croyez-moi, on va le trouver, le coupable.

Cruz tira de sa poche un petit carnet et me fit son rapport. Il avait interrogé une fille qui travaillait au spa de Glenda Treat et qui lui avait donné le nom de deux clients réguliers de Shelby.

— Ils bossent tous les deux dans le cinéma, expliqua-t-il. J'ai effectué quelques recherches. J'ai également vérifié auprès du bureau de New York : Bob Santangelo est de Brooklyn. Tu le connais ?

— De nom. Je l'ai vu dans deux ou trois films, je crois.

— Un type du genre pugnace. Il refuse les interviews télé et ne manque jamais une occasion de dire du mal de ses collègues.

— Il la voyait souvent, Shelby ?

— Plusieurs fois par semaine, apparemment. L'autre type, c'est Zev Martin, un producteur de premier plan, notamment pour la Warner. Un enfoiré de premier plan aussi, à ce qu'on dit. Apparemment, il a une haute estime de lui-même.

— *Bat Out of Hell*, en voilà un putain de film d'horreur ! s'exclama Del Rio. Je l'ai vu six fois. Produit par Martin, avec Santangelo dans le rôle du méchant.

— Zev Martin est marié, continua Cruz. Aucun des deux n'a de casier judiciaire.

— Permis de port d'armes ?

— Négatif, répondit Cruz.

— Tu as une préférence ?

— Non.

— Alors, occupe-toi de Santangelo. On se tient au courant.

55

Del Rio et moi-même nous rendîmes aux studios de la Warner Bros, à Burbank. Brandissant mon insigne, je demandai à ce qu'on m'annonce auprès du directeur du studio, qui se trouvait être un client de Private. Deux minutes plus tard, nous remontions la large route ensoleillée qui traversait le parking. Plantés au milieu de ce décor de campus, derrière la cantine et les plateaux de cinéma, se trouvaient de petits bungalows.

Adossé à une petite baraque blanche portant son nom, Zev Martin réparait sa moto. C'était un type pas bien grand, la trentaine, avec une barbe soigneusement taillée et un motif de fil barbelé tatoué autour du biceps.

Je lui présentai Del Rio, puis moi-même.

— De quoi s'agit-il ? demanda-t-il tout en nous avisant d'un air soupçonneux.

— Nous enquêtons sur la mort de Shelby Cushman, expliquai-je.

Jusqu'à présent, ce genre d'aveu m'avait rarement valu des confidences immédiates et spontanées. Zev ne dérogea pas à la règle.

— Vous aviez l'habitude de la voir plusieurs fois par semaine, compléta Del Rio. Au Benedict Spa. Vous avait-elle parlé d'un client qui lui aurait causé des ennuis ?

Le producteur se releva et s'essuya les mains avec un torchon.

— Drôle d'idée, commenta-t-il. On ne va pas voir une fille comme ça pour l'écouter vous raconter ses problèmes. C'est ce que vous faites, vous ? Vous payez des femmes pour les écouter vous détailler leur vie ? Vous feriez mieux de vous marier, si c'est ça votre truc.

Avec son impressionnante collection de bleus, Del Rio ressemblait à un pitbull qui se serait frotté à aussi fort que lui.

— Je n'ai pas l'habitude de payer pour des femmes, rétorqua-t-il. Et je me demande bien quel genre de type peut en arriver là.

— Rick, intervins-je, attends-moi dans la voiture, OK ?

Sans me prêter la moindre attention, il attrapa Martin par le col et l'étrangla à moitié. La moto bascula par terre.

— Tes conneries, tu peux te les garder, lui gueula-t-il à la figure. Dis-nous ce que tu sais sur Shelby ou je t'explose la tronche et je raconte tout à ta pauvre femme.

— Eh ! couina Martin. C'est quoi, le problème ?

Le bip d'une voiturette de sécurité se fit entendre. Elle se dirigeait vers nous.

— Shelby était amoureuse d'un type, cracha-t-il sous la contrainte, le visage cramoisi. Quelqu'un d'autre que son mari. D'accord ?

— Rick, l'interpellai-je en l'attrapant par-derrière. Lâche-le.

— C'était qui, ce type dont elle était amoureuse ? continua Rick en le secouant brutalement.

— Je n'en sais rien, c'était juste une rumeur qui courait parmi les autres filles. Shelby n'en a jamais parlé elle-même.

Je finis par me résoudre à calmer Rick par la force ; il prit alors la direction de la voiture sans broncher.

— Vous allez bien ? demandai-je au producteur.

— Putain, non ! s'exclama-t-il, la main sur la gorge.

— Mon collègue est un vétéran, expliquai-je en me gardant bien de mentionner son passé carcéral. Il souffre de troubles post-traumatiques. Je suis vraiment navré.

— Je devrais déposer plainte pour agression, grogna-t-il tandis que le service de sécurité se rapprochait de nous.

— Je peux me tromper, mais je n'ai pas l'impression que vous ayez vraiment besoin de davantage de publicité dans cette affaire.

J'esquivai le vigile et retournai à mon tour à la voiture.

— Il vaudrait mieux que ce ne soit pas de toi que Shelby ait été amoureuse, marmonna Del Rio. Amis proches… Ben voyons !

— C'est quoi, ton problème, nom de Dieu ? T'as arrêté de prendre tes médicaments ou quoi ?

— Laisse-moi te poser une question, murmura-t-il, recroquevillé contre la vitre. Tu as déjà eu des crises de somnambulisme ?

— Non, ça ne m'est jamais arrivé.

— Moi, oui. Je me réveille, je suis derrière le canapé, ou dans un placard, ou dehors, sur la pelouse. Je n'ai aucune idée de ce qui a pu se passer. Je fais des cauchemars, des cauchemars horribles.

— Prends ta journée, Rick. Rentre chez toi et dors, tu vas finir par nous faire tuer.

56

Justine sirotait un café tiède dans un gobelet en polystyrène.

Le flic qu'elle avait retrouvé, le lieutenant Mark Bruno, se tenait assis dans son bureau, une petite pièce qui surplombait la plateforme de travail de la brigade des homicides. Bruno, la quarantaine, les épaules carrées et la mine songeuse, avait participé à l'enquête sur le meurtre de Wendy Borman, cinq ans plus tôt.

— Cela faisait plusieurs jours que la fille était morte lorsque nous l'avons retrouvée dans cette ruelle, expliqua-t-il. Pour ne rien arranger, il avait plu. Toutes les empreintes sur le corps avaient disparu.

— Quelle est votre théorie concernant cette affaire ?

— Oh, j'ai plus qu'une théorie. Il y avait un témoin. Quelqu'un a assisté à l'enlèvement.

— Attendez une seconde, s'étonna Justine, bondissant de sa chaise. Personne n'avait parlé de témoin, jusqu'à présent.

— La presse ne l'a pas citée parce qu'elle n'avait que onze ans au moment des faits. Une dénommée Christine Castiglia. Sa mère n'a pas voulu la laisser témoigner. Et ce qu'elle a vu ne nous a pas vraiment aidés.

— Je suis désespérément à la recherche d'une piste. Si vous avez le moindre indice, aussi insignifiant soit-il, je suis preneuse !

— Personne n'a pensé à associer le meurtre de Wendy Borman à celui des lycéennes. Vous feriez un bon flic. Mais je crois que le salaire ne vous plairait pas.

— Merci. Mais je peux parfaitement me tromper.

— En tout cas, continuez de fouiner autant que vous pourrez. Je ne suis pas un de ces policiers qui vous détestent par principe, professeur Smith.

— Justine.

— Justine. Peu importe qui finit par le coffrer, cet enfoiré. En fait, je suis à fond avec vous.

La détective se fendit d'un sourire.

— Dites-m'en un peu plus sur Christine Castiglia.

Bruno pivota à cent quatre-vingts degrés sur sa chaise et retira d'un placard, derrière lui, un classeur à spirale portant le nom BORMAN inscrit sur la couverture. Il se mit à parcourir ses notes, la main sur le front, ponctuant sa lecture de marmonnements inintelligibles, avant de relever finalement la tête.

— Bon, en gros, Christine et sa mère, Peggy Castiglia, se trouvaient dans un café au coin de Rowena et Hyperion... De là où elle est assise, la petite fille a de la visibilité sur Hyperion. Elle aperçoit deux types balançant une fille dans un van.

— Ils étaient deux ?

— C'est ce qu'elle a dit. Elle n'a pas pu confirmer qu'il s'agissait de Wendy Borman. Et nous n'avons pas pu établir avec suffisamment de précision l'heure exacte du meurtre pour savoir s'il a eu lieu au moment où les Castiglia dégustaient leurs sandwichs.

Bruno exhala un long soupir avant de reprendre.

— Mais elle les a vus, ces deux types. En fait, c'est même le seul élément concret que nous ayons eu à nous mettre sous la dent pendant toute la durée de l'enquête.

— Christine en a-t-elle donné une description ? Au moins de l'un d'entre eux ?

Bruno parcourut les pages de son dossier et lui présenta le portrait-robot d'un jeune homme à lunettes et aux cheveux bouclés. Ses traits semblaient réguliers et très peu marqués. Voilà qui n'était pas d'une grande utilité.

— Ce dessin me dit que Christine n'a pas eu le temps de vraiment observer son visage, conclut-il. Le suspect avait des lunettes et les cheveux bruns, et c'était tout ce qu'elle savait.

— Vraiment dommage…

— Ah oui, je m'en souviens maintenant : elle avait vu le deuxième type de dos. Il était plus petit et avait les cheveux raides, plus longs que ceux de son collègue. Super, non ? On vient d'éliminer toute la population de L.A. à l'exception de deux ou trois millions d'hommes blancs.

— Lui a-t-on montré quelques clichés de police ?

— Non. On n'a pas eu le temps. Sa mère l'a tirée de là aussitôt. Impossible de lui faire entendre raison.

— Elle avait onze ans, ce qui lui en fait seize aujourd'hui. Elle doit être en seconde ou en première.

57

Il fallut à Cruz toute la journée et tout le début de la soirée avant de parvenir à approcher la star de cinéma Bob Santangelo. Debout devant la sortie du Teddy's Lounge, l'enquêteur en fut réduit à attendre comme un vulgaire fan que l'acteur et son entourage daignent mettre le nez dehors.

Il se faufila derrière un garde du corps à travers la foule. S'approchant de la Mercedes blanc nacré, il plaqua son insigne sur le verre teinté du pare-brise au moment précis où le véhicule s'apprêtait à démarrer. Le conducteur s'arrêta brusquement.

La portière arrière s'ouvrit alors et un garde du corps, asiatique ou samoan, du genre costaud, descendit du véhicule.

— Vous voulez quelque chose, monsieur ?

— J'aimerais juste poser quelques questions à M. Santangelo.

— C'est bon, répondit une voix sur la banquette arrière.

Le teint hâlé, le cheveu brun et court, l'acteur arborait une barbe de trois jours et un bomber en cuir marron, semblable à celui qu'il portait dans *The Great Squall.* Il se décala sur la banquette, laissant Cruz prendre place à ses côtés. La berline redémarra alors.

— Je m'appelle Emilio Cruz. Je suis détective privé.

— Qu'est-ce que c'est que cette histoire? s'étonna Santangelo. Je croyais que vous étiez flic.

— Désolé de vous décevoir.

— C'est Ellen qui vous a demandé de me prendre en filature?

— Je ne connais pas votre femme.

— Mais vous savez qu'elle s'appelle Ellen. Dites-moi de quoi il retourne et, surtout, allez droit au but. Lorsque nous arriverons sur Mulholland, la balade sera terminée.

— J'enquête sur la mort de Shelby Cushman.

— Pauvre Shelby. Sérieusement, je n'arrive toujours pas à y croire.

— Vous la connaissiez depuis combien de temps, exactement?

— Deux mois à peine. Vous l'aviez rencontrée? C'était une femme merveilleuse. Drôle avec ça. Et me voilà, un homme marié, avec tout ce dont on peut rêver dans la vie, et la seule chose qui comptait vraiment pour moi, c'était d'être avec Shelby. Je crois que j'étais tombé amoureux d'elle.

— Où étiez-vous lorsqu'elle s'est fait assassiner? Excusez-moi d'avoir à vous poser cette question.

— À New York avec Xo, répondit-il en désignant l'armoire à glace sur le siège avant. À 17 heures, heure locale, j'étais en séance de maquillage chez CBS. À 18 heures, je suis passé dans la salle verte avec Julia Roberts. Une demi-heure plus tard, je me retrouvais sur le plateau de David Letterman. Le show terminé, j'ai dîné avec Julia au Mercury. Vous pouvez vérifier, si ça vous chante.

— Je n'y manquerai pas. Si vous deviez désigner une personne qui avait des raisons de lui en vouloir, de qui s'agirait-il ?

— J'en sais rien, mec. Son dealer ? Orlando quelque chose. Elle m'a déjà emprunté de l'argent pour pouvoir le rembourser. Je ne l'ai jamais rencontré, ce salaud. Il fournissait pas mal de filles au spa.

L'acteur se pencha vers le chauffeur pour lui demander de se garer.

— Vous descendez ici, monsieur Cruz, annonça-t-il.

Celui-ci lui adressa un sourire avant de lui serrer la main.

— Allez, ramenez-moi au Teddy's, c'est là que je suis garé. Maintenant que nous sommes devenus amis…

— Au Teddy's, lança Santangelo à son chauffeur. Cruz, je ne veux plus jamais vous revoir.

— J'irai tout de même vous voir au ciné !

Emilio Cruz s'enfonça dans la très confortable banquette en cuir. Il tenait cette affaire par le bon bout. Shelby Cushman, la fille au cœur d'or et au mari plein aux as, avait également un dealer. La prostitution lui servait peut-être à financer sa consommation.

Voilà qui n'allait pas plaire à Andy, pas plus qu'à Jack. Personne n'aime apprendre d'un être cher qu'il était un junkie.

58

Adossé à un coin de mur, l'oncle Fred passait un appel sur son portable. Plusieurs jours s'étaient écoulés depuis que les trois compères m'avaient confié cette mission d'une importance capitale, avec un joli bonus à la clé. Jusqu'à maintenant, j'avais l'impression d'avoir à peine mérité l'acompte.

Si Fred m'avait paru inquiet, ce jour-là, l'angoisse lui donnait désormais des faux airs de chien chinois au front tout plissé. Plus qu'un simple gagne-pain, le football constituait également sa plus grande passion, la seule chose qui comptait réellement dans sa vie. Il me l'avait répété une bonne dizaine de fois depuis l'enfance. Si les matchs s'avéraient truqués, c'était tout un monde qui s'écroulerait.

— Il vient juste d'arriver, déclara-t-il à son interlocuteur en m'apercevant dans le couloir. Je te rappelle.

Le grand costaud qui avait pour habitude de m'ébouriffer les cheveux lorsque j'étais gosse s'avança vers moi d'une démarche qui trahissait son genou en mauvais état. Il me serra vigoureusement la main et s'assit pesamment dans un fauteuil.

— Je croyais qu'on était censés ne se voir que vendredi, déclarai-je.

— J'ai reçu un appel, hier soir, Jack. Je n'ai pas voulu t'en parler par téléphone.

Il fourra la main dans sa poche pour en tirer un paquet de cigarettes qu'il replaça aussitôt à l'intérieur de sa veste. L'opération terminée, il reprit la parole.

— J'essaye d'arrêter. J'aime autant te dire que ce n'est pas le meilleur moment.

Colleen entra pour me dire bonsoir.

— J'ai mis le numéro de M. Moreno dans ta valise, précisa-t-elle. Tu as un rendez-vous téléphonique avec notre bureau de Rome à 7 heures, demain matin. L'affaire Fiat. Puis un autre à 8 heures avec Louis Langlois, qui dirige Private à Paris. Tu as besoin d'autre chose, Jack ?

— Ça ira, je te remercie. Bonne soirée, miss Molloy.

Elle referma la porte et s'en alla.

— Alors, comment ça avance ? reprit Fred. Je t'en prie, ne me dis pas qu'on en est toujours au même point…

— Nous progressons. Je crois que Del Rio est sur une piste intéressante. Ça va lui prendre deux jours pour effectuer les vérifications nécessaires. Parle-moi de cet appel.

— Barney Sapok. Ça doit faire, je ne sais pas… quinze ans que je le connais. C'est la première fois qu'il m'appelle à mon domicile.

Fred s'apprêtait à saisir une cigarette, mais il se fit à nouveau violence.

— Il m'a dit que nos amis dans l'industrie du pari en ligne en sont arrivés à la même conclusion, enchaîna-t-il. À savoir qu'il y a quelque chose de pas kasher dans les matchs de cette saison. J'aurais mieux fait de venir te voir plus tôt, Jack. Je ne voulais pas voir la réalité en face. Et voilà maintenant que c'est une bande de mafiosi qui en vient à poser les questions que le commissaire de division aurait dû poser il y a bien longtemps. Je ne sais pas ce qui se passe, mais il faut que je le sache avant que l'information ne parvienne jusqu'à eux.

— Ne t'inquiète pas, je ne te laisserai pas tomber. Je mets tous mes moyens à ta disposition.

— Je sais. Tu as toujours été le plus intelligent de la famille.

Je le raccompagnai jusqu'à l'ascenseur. Lorsque les portes se refermèrent, je restai immobile à regarder le chiffre des étages descendre jusqu'à zéro, l'esprit accaparé par l'idée que, quelque part, la mafia menait ses propres investigations sur ces matchs qui leur avaient coûté des millions de dollars. Quelqu'un allait devoir payer.

Mais qui avait bien pu fausser des rencontres professionnelles analysées et disséquées image par image, et auxquelles avaient assisté des millions de téléspectateurs ? Je n'en avais pas la moindre idée.

59

L'appartement de Doc se situait au dernier étage d'un bâtiment décrépi qui, en des temps reculés où les habitants de Los Angeles lisaient encore, avait abrité une imprimerie.

Dans ce grand espace dont les hauts plafonds étaient soutenus par des colonnes métalliques, un diaporama permanent décorait les murs blancs : photos du Vatican la nuit, de la rivière Tatshenshini dans les plaines sauvages du Yukon, du « Quad » de Harvard, d'une aurore boréale ou du mur des lamentations à Jérusalem, pris depuis l'hôtel King David. Une sélection de ses clichés préférés.

Un requin-tigre de près de quatre mètres trônait suspendu à des chaînes attachées à une armature en bois.

Trixie, son singe de compagnie, se tenait perché sur sa cage, occupé à dévorer des rondelles de banane séchée. Assis devant son ordinateur, Doc discutait par webcam avec Kit-Kat, dont le doux visage et le large corps occupaient l'écran tout entier.

— Tu as l'air préoccupé, ce soir, lui dit-elle. Cette affaire te perturbe vraiment, je crois.

— Ces meurtres ne sont que la concrétisation d'une longue série de fantasmes tordus. Qu'est-ce que tu en penses ?

— *Ja*. C'est ainsi qu'opèrent ces saletés de tueurs, partout à travers le monde.

Doc savait que Kat travaillait comme biochimiste. Il savait également qu'elle était mariée et qu'elle vivait à Stockholm, mais il ignorait son véritable nom. Les deux amants virtuels n'avaient aucune intention de se rencontrer un jour, parce que, naturellement, cela détruirait toute la magie de leur relation.

— Je t'appelle parce que j'ai découvert quelque chose qui pourrait t'intéresser, Doc. Ce n'est qu'une rumeur, à peine un murmure. Je ne peux rien garantir. Mais on parle d'un mouchard utilisable à distance, un programme d'origine américaine qui permet à son utilisateur d'intercepter le signal d'un téléphone portable et de le cloner. Sans se faire détecter.

Doc sentit son cœur battre la chamade, se liquéfier d'extase. Il avait souvent envisagé la possibilité d'un tel programme. À présent, Kat lui en confirmait l'existence.

— Dis-moi tout, ma très chère.

Trixie la guenon se mit à hurler avant de jeter son goûter et de s'élancer le long des cordes pour finir sur l'épaule de Doc, à discuter avec l'image de Kit-Kat à l'écran.

— Bonsoir ma belle, la salua celle-ci. Le programme m'avait semblé vaguement familier, Doc. Alors, j'en ai déterré un autre, vieux de quelques années, mais avec une signature semblable. L'auteur en était un joueur en ligne du nom de Morbid. Surtout, ne t'emballe pas, chéri. Ça n'est que pure supposition fondée sur une simple rumeur. Par contre, j'ai vraiment cherché absolument partout.

— Kat, je ne sais pas comment te remercier. De tous les éléments dont je dispose, c'est celui qui s'apparente le plus à une piste.

— Je pars dans quelques minutes, annonça Kat. J'ai tout juste le temps…

Elle déboutonna son chemisier. Sur des percussions lancinantes se déclencha alors une mélodie électronique compliquée. Les pensées de Doc se détournèrent du programme pirate : il enferma Trixie dans sa cage pour se consacrer tout entier à Kit-Kat.

L'adorable femme tout en rondeurs retira alors sa broche de son épaisse chevelure blonde et se déshabilla avec délicatesse.

— Dis-moi ce qui te ferait plaisir, ce soir, mon bel amant. Et j'en ferai autant.

60

Plus tard dans la nuit, assis à l'ombre du fabuleux requin, Doc pianotait sur son clavier, les yeux rivés à l'écran.

Depuis que Kit-Kat s'était déconnectée, il avait lancé une multitude de recherches autour de « Morbid ». Les résultats qu'il avait obtenus concernaient les groupes de thrash metal Morbid Angel et Morbid Death, ainsi que toutes les occurrences du terme dans les contextes les plus absurdes.

Après avoir passé en revue ce que Google et Bing pouvaient lui offrir, il s'inscrivit sur tous les forums informatiques possibles et imaginables, à la recherche d'un logiciel pirate pour cloner les portables à distance et d'un programmeur du nom de Morbid.

Ses efforts n'ayant débouché sur rien de concret, il envoya un e-mail à son vieil ami Darren, en Inde. Celui-ci travaillait pour l'un des plus grands fournisseurs d'accès Internet. Il répondit au message de Doc par une série de liens vers des sites confidentiels, dont l'accès était limité aux informaticiens de haut niveau. Il lui communiqua également ses identifiants et mots de passe.

Une tasse de café à la main, Doc se lança à travers les arcanes les plus sombres du Net et tomba finalement sur un véritable filon : un forum de *geeks* dont il ignorait jusqu'à l'existence – ce qui, en soi, relevait de l'exploit. On y mentionnait le nom de Morbid dans un sujet assez récent : « Morbid le Grand a pris le contrôle de la ville. La rumeur court selon laquelle il participe à un jeu de combat grandeur nature appelé Freek Night. »

Doc se sentit comme cloué à sa chaise, partagé entre l'espoir de tenir le bon filon et la crainte qu'il ne s'agisse d'une nouvelle impasse. Ce type de découverte expliquait en grande partie le succès de Private : ils disposaient des meilleures sources sans avoir à se soumettre aux mêmes règles que la police. Ils n'obéissaient en fin de compte qu'à leur propre sens de la justice.

À l'aide de l'identifiant de son ami, Doc posta un nouveau sujet pour s'informer sur Freek Night. Il reçut immédiatement un message d'un autre membre qui le prenait pour Darren.

« Putain, Darren, moi je te le dis mec, Freek Night, c'est tellement cinglé que c'en est grandiose. Freek Night, c'est le jeu puissance mille : la vie réelle. »

« Comment tu sais ça ? »

« Un dénommé Scylla en a parlé sur le forum d'Extreme Combat. Il dit avoir été recruté en tant que joueur, mais c'est peut-être des conneries. Personnellement, j'ai essayé d'en faire partie, je n'ai jamais eu de réponse. »

« C'est la première fois que j'entends parler de ce truc », répondit Doc, alias Darren.

« Ça, c'est parce que tu vis terré dans ton cachot à Mumbai. LOL. Même à Los Angeles, on ne tue pas pour jouer. Scylla devait être complètement défoncé pour poster un truc pareil. »

Doc ajouta le site à ses signets, songeant qu'effectivement, Scylla devait être défoncé. Comme beaucoup d'accros aux jeux vidéo, il ne distinguait plus le virtuel du réel. Il avait laissé son pseudonyme prendre le dessus.

L'enquêteur explora le forum d'Extreme Combat pour y repêcher le message de Scylla :

« Notre jeu, c'est les guerriers contre les salopes. Samedi soir, pensez à moi ! »

Un nouveau sujet avait été posté quelques jours plus tard par un dénommé Trojan :

« Le samedi tu joues, le dimanche tu payes. Scylla s'est envolé du haut de sa propre terrasse. Voler, tout le monde peut le faire. C'est quand on atterrit que ça fait mal. »

Doc ouvrit le profil de Scylla, prénom Jason, lieu de résidence Los Angeles.

Vers 4 heures du matin, l'un des modérateurs, constatant grâce à l'adresse IP une utilisation frauduleuse du compte de Darren, lui bloqua l'accès au forum.

Doc se servit un nouveau café. Ses doigts étaient raides et ses mains tremblaient.

Agrippant la tasse brûlante pour se détendre, il écuma un blog de dépêches tout à fait sérieuses dans l'espoir d'y découvrir une entrée concernant un Jason tombé de sa terrasse le dimanche précédent, soit le lendemain de la mort de Marguerite Esperanza.

Il trouva son bonheur sur le *Times Online*. Après avoir relu l'article, il téléphona à Mo.

— S'il y a bien un truc que je déteste, Doc, grogna celle-ci lorsqu'elle décrocha finalement, ce sont les coups de fil en pleine nuit. La seule chose que je déteste encore plus, ce sont les mammographies !

Doc lui exposa sa récente découverte. Elle l'écouta attentivement avant de conclure :

— Morbid… C'est qui, ce gars ? J'avoue que je suis à court d'idées. J'appelle Jack.

— Laisse-le dormir. Ça peut attendre demain matin.

61

J'attrapai le téléphone, hurlai « pas encore ! » et le reposai aussitôt sur la table de nuit.

En rêve, j'avais pu examiner la soute du CH-46 après son crash, croyant y voir mon subconscient. Ma décision était prise ; je savais ce que j'allais faire.

Le rêve avait disparu.

Quelle était la question ?

Quelle décision avais-je prise ?

Le téléphone sonna à nouveau. Mon « ennemi » ne rappelait jamais.

C'était Doc.

— J'ai une piste sur l'affaire des lycéennes, m'annonça-t-il.

62

Une demi-heure plus tard, je me trouvais assis dans un Starbucks à siroter mon Vivanno mangue-orange en compagnie de Doc. Les cheveux aplatis par son casque, il portait un pantalon de survêtement décoré de smileys et un T-shirt « Life is Good », avec un cœur en plein milieu. Je l'aurais volontiers chambré sur sa tenue, mais le sérieux dont il faisait preuve m'en dissuada.

Remuant mon smoothie avec ma paille, je m'efforçai de surmonter ma fatigue pour me concentrer sur ses explications.

— Un : il y a deux jours, un dénommé Jason est tombé de sa terrasse à Beverly Hills, commença-t-il. Le lendemain de la mort de Marguerite Esperanza. La police a classé l'affaire comme un suicide.

— Jason bossait dans l'informatique ?

— Il était dans les relations publiques.

— Je ne te suis pas. Explique-moi encore le lien entre les deux.

Doc exhala un soupir. Même si j'avais de solides notions informatiques, je n'étais pas un *geek*, comme lui. Il prit la saupoudreuse à cannelle d'une main et celle à chocolat de l'autre.

— Écoute, reprit-il comme s'il parlait à un demeuré. La cannelle, c'est un programme qui clone les téléphones à distance, avec possibilité d'envoyer et de recevoir des messages. Le chocolat, c'est un jeu de combat vidéo, pas si virtuel que ça. Il s'appelle Freek Night.

Il entrechoqua les deux récipients.

— Ce que ces deux trucs ont en commun, expliqua-t-il, c'est un joueur utilisant le pseudo « Morbid ».

— Explique-moi à nouveau la partie concernant les jeux vidéo.

— Les plus populaires sont des jeux de guerre. Mo joue à l'un d'entre eux, World of Warcraft. C'est ce qu'on appelle un MMORPG : un jeu de rôle en ligne massivement multijoueur. Ça se joue vingt-quatre heures sur vingt-quatre, partout sur terre. Il y a onze millions de joueurs par mois.

— Des jeux de guerre sur ordinateur. Crois-moi, c'est sûrement mieux qu'en vrai.

— La plupart de ces jeux mettent en scène des armées entières. Ils peuvent se dérouler dans le passé, le présent ou l'avenir. Les joueurs doivent conquérir des pays, voire des planètes. C'est une véritable drogue. Avec un degré de réalisme incroyable. Tu me suis, jusqu'à maintenant ?

— Ouais.

— Dans certains jeux, il s'agit de combats individuels, avec des samouraïs ou des guerriers romains par exemple. Parfois, les joueurs s'associent à d'autres, comme compagnons de guerre.

— Je sais que tu as quelque chose derrière la tête, sinon tu ne m'aurais pas réveillé à 5 h 30 du matin.

— J'y viens. Personnellement, je n'ai pas dormi de la nuit.

— Pas de souci, je suis là, je t'écoute.

— Bon. Maintenant, imagine qu'un joueur planqué derrière le pseudo « Scylla » se vante en ligne de participer à Freek Night, un jeu de combat *live* et en temps réel. « Guerriers contre salopes », selon sa propre description.

— Un jeu dans la vraie vie.

— Bingo. Et le lendemain de la mort de Marguerite Esperanza, Scylla – Jason de son vrai nom – effectue un vol plané depuis sa terrasse. J'ai trouvé ça sur le *Times Online*. Jason Pilser s'est suicidé, ce soir-là.

— Donc, si je récapitule, un informaticien utilisant le pseudo « Morbid » a créé un programme de clonage à distance pour rentrer à l'intérieur des portables des victimes.

— C'est ce que mes découvertes tendraient à prouver.

— Et il se trouve que cet informaticien participe également à un jeu *offline* appelé Freek Night.

— *Offline*, tout à fait. Très bien, Jack !

Attrapant le pot de cannelle, je continuai l'exposé.

— Ce Jason Pilser qui se faisait appeler Scylla et qui travaillait dans les relations publiques participait également à ce jeu. Et, dimanche dernier, il s'est fait tuer…

— Voilà les éléments dont je dispose, Jack. Le puzzle reste incomplet, mais on approche de la solution. Il y a trop de liens pour que ce soit une pure coïncidence. Même mort, Jason Pilser reste une piste en chair et en os. Je pense que le tueur ne peut plus être très loin.

— Donc, il s'agit de faire attention.

— Il s'agit de faire *extrêmement* attention.

63

Faire extrêmement attention : un principe qu'il nous fallut immédiatement appliquer.

L'immeuble dans lequel habitait Jason Pilser se trouvait à Beverly Hills. Les bâtiments côté sud de Burton Way possédaient des terrasses avec vue imprenable sur les collines. D'un coup d'œil, je repérai le balcon du suicidé. Les portes coulissantes de la terrasse semblaient fermées.

— Pourquoi Pilser aurait-il sauté? demandai-je à Doc.

— Les remords, peut-être? Non, ça ne paraît pas crédible.

J'avais rassemblé un certain nombre d'informations concernant ce type durant les dernières heures. Âgé de vingt-quatre ans, il travaillait comme comptable dans une société de conseil en relations publiques. Son salaire annuel avoisinait les 50 000 dollars : plutôt pas mal pour un type si jeune par les temps qui courent, mais pas suffisant pour se payer un tel appartement. Voilà qui fleurait bon le fonds d'investissement ou les riches parents divorcés.

Avec un crissement de pneus, la voiture de Bobby Petino se gara le long du trottoir. Vêtu de son costume en soie noire à 3000 dollars, il descendit du véhicule et mit l'alarme en marche, non sans avoir au préalable glissé une carte sous son pare-brise pour indiquer qu'il était en déplacement officiel.

— Enfin ! s'exclama-t-il après nous avoir salués. Une piste, une vraie, toute chaude. Beau travail, Doc. Et Justine, elle en pense quoi ?

— Elle étudie les choses sous un autre angle, répondis-je. Nous nous efforçons de couvrir cette enquête de toutes les manières possibles.

— Je commence à ressentir un optimisme mesuré, nous affirma Petino. Comme un picotement dans ces feuilles de chou qui me servent d'oreilles.

Lui et ses oreilles nous escortèrent à l'intérieur de l'immeuble. Là, surplombant le carrelage en marbre noir, se trouvait un bureau décoré d'un énorme bouquet de fleurs exotiques. Il sortit son mandat de perquisition et nous présenta au gardien, Sam Williams, un vieil homme en uniforme.

— Quelqu'un est-il entré dans cet appartement, en dehors de la police ? demanda Petino.

— Mme Costella, la locataire du 6A, pour reprendre son ficus. On m'a demandé de m'assurer que la porte reste fermée jusqu'à ce que la mère de M. Pilser arrive de Vancouver.

— Avez-vous vu Jason Pilser le soir de son décès ? l'interrogeai-je.

— Non, pas une seule fois de la journée. Il était chez lui lorsque je suis rentré. J'ai envoyé un livreur de l'épicerie d'à côté et, vers 11 heures, M. Pilser m'a appelé pour m'informer de son intention de recevoir des amis.

— Des amis, repris-je. Vous a-t-il donné des noms ? Les avez-vous vus ?

— Non. Il a juste dit « des amis ». J'étais de service jusqu'à minuit, ils ont dû arriver après. Ralph prend le relais à 6 heures du matin. Entre les deux, il n'y a personne.

— Il y a des caméras de sécurité ?

— Celle qui se trouve ici. Elle fait des cycles de quarante-huit heures. Les images de dimanche soir ont déjà été effacées. Si je peux me permettre, de quoi s'agit-il ? Vous ne croyez pas à la théorie du suicide ?

— Merci pour votre aide, conclut Bobby. Nous aurons peut-être besoin de vous parler à nouveau en redescendant.

— Vous savez où me trouver, répondit le gardien avec un hochement de tête.

Une dernière question me traversa l'esprit.

— Monsieur Williams, entre vous et moi, que pensiez-vous de Jason Pilser ?

— C'était un sacré con, murmura-t-il.

Je profitai de l'ascenseur pour m'entretenir avec Bobby.

— Je suggère que vous laissiez Private s'en occuper, lui déclarai-je. Si je lâche Doc et son équipe dans l'appartement, nous aurons tout bouclé d'ici demain, même heure, et vous aurez votre rapport avant la fin de la journée.

— C'est comme si c'était fait, confirma-t-il. Il est temps de découvrir ce que cet enfoiré avait derrière la tête.

64

En tant que pilote d'hélicoptère, mon métier consistait à tout voir, une compétence que j'avais su préserver. Me cantonnant au hall d'entrée pour ne pas gêner Doc et éviter de détériorer une possible scène de crime, je pris une série de clichés au format .ec4, tantôt en grand angle, tantôt en gros plan.

Le scientifique travaillait en silence, communiquant avec son équipe par sténographie. Le matériel de criminologie avait coûté une petite fortune, mais c'était de l'argent bien dépensé.

Lorsqu'il me fit signe de le suivre, je lui emboîtai le pas le long d'une ligne invisible, circulant de pièce en pièce à travers cet appartement au mobilier sobre et moderne.

Le canapé et les coussins des fauteuils semblaient en parfait état ; l'évier était vide, le lit impeccablement fait et le placard de la chambre rangé avec méticulosité. Pas de lettre d'adieu en vue.

Deux détails retinrent plus particulièrement mon attention : une veste de costume posée sur un valet et, sur le rebord du lavabo de la salle de bains, un rouleau de compresses avec de la teinture d'iode.

— Le médecin légiste déclare avoir trouvé des traces de plusieurs types de noix ainsi que l'équivalent de deux martinis dans son estomac, expliqua Doc. Peut-être s'apprêtait-il à sortir dîner avec ses amis. Ou ses tueurs, pour tout dire. Les éraflures sur son ventre correspondent au sang et aux restes de peau trouvés sur le muret de la terrasse. Il se serait donc lui-même fait glisser par-dessus, ce qui semble improbable, ou en tout cas inhabituel.

— Ou alors, on l'a poussé jusqu'à ce qu'il prenne son envol, suggérai-je. Ça me paraît plus vraisemblable.

— On a des empreintes, annonça Karen Pasquale, l'assistante de laboratoire, depuis le couloir. De trois individus différents.

— Parfait, répliqua Doc. On a trouvé son ordinateur ?

— Ce n'est pas ça ? demandai-je en pointant du doigt une mallette à l'ombre d'un coin de mur.

Doc l'attrapa de ses mains gantées et la posa à plat sur le bureau. Elle s'ouvrit brusquement.

Au-dessus de l'ordinateur se trouvait une cravate. Une poche sur le côté contenait une liasse de documents. Ainsi qu'un téléphone portable.

— Voilà de quoi m'occuper toute la nuit, soupira Doc.

— Ce serait possible de jeter un œil au téléphone tout de suite ? demandai-je.

— La batterie a l'air presque vide, dit-il en l'ouvrant. Je vais voir ce que je peux faire.

Debout derrière lui, je regardai par-dessus son épaule tandis qu'il faisait défiler les différents messages. Au bout de quelques secondes, il s'arrêta tout net. Puis il se tourna vers moi et me montra un SMS que Pilser avait reçu le mercredi précédent. Un message aussi bref qu'efficace.

« Freek Night est de retour. À toi de jouer, Scylla. Freezer. »

— Attends un peu, lui dis-je. Ça devrait être signé Morbid. C'est avec lui que Jason est en contact. C'est qui, ce Freezer ?

Doc semblait pensif.

— Freezer ? déclara-t-il enfin. J'ai beau être génial, je vais devoir bosser avant de pouvoir te répondre.

65

Le centre de réadaptation hyper luxueux dans lequel séjournait Tommy s'appelait Blue Skies. Le type du marketing pensait sans doute que c'était en gardant la tête dans les nuages que l'on faisait renaître l'espoir…

La clinique se situait au milieu d'un immense parc de cinq hectares à Brentwood, au nord du Sunset, avec une vue imprenable sur les montagnes de Santa Monica. Depuis les locaux de la direction, on pouvait observer dans le canyon en contrebas les gens à cheval qui sillonnaient les pistes de l'immense forêt privée.

Je n'avais pas rendu visite à mon frère depuis le jour où je l'avais inscrit ici, une semaine auparavant. Je me sentais dans l'obligation de venir voir comment il s'en tirait.

Tommy se reposait, assis dans une chaise longue au bord de la piscine. Il portait sous un peignoir blanc et pelucheux un short de bain bleu canard.

Avec son teint hâlé, il semblait en forme. Apaisé. Le repos lui faisait du bien, visiblement. En tout cas, je l'espérais.

Lorsque mon ombre traversa son champ de vision, il plaça la main au-dessus de ses yeux en guise de visière et m'interpella aussitôt.

— Si tu crois que je vais te remercier, frérot, tu te plantes lourdement. La seule question que je me pose, c'est comment me barrer d'ici en peignoir.

Je pris place sur la chaise à côté de lui.

— Tu ne veux même pas me remercier d'être allé voir Carmine Noccia pour lui remettre un chèque de 600 000 dollars ?

— Si. Merci.

— Ça n'est qu'un prêt, Tommy, ne l'oublie pas. Et je n'ai pas dit à Annie que la mafia s'apprêtait à transformer ta voiture en bombe ambulante. Ou à faire sauter votre maison.

— Ça ne te colle jamais des migraines, cette auréole autour de ta tête, en permanence ?

— Franchement, si. Tu devrais me laisser jouer le rôle du méchant pour une fois, ça me ferait des vacances.

— L'oncle Fred est venu ici. Il m'a dit qu'un truc énorme m'attendait. À condition que je me ressaisisse.

— C'est quoi le problème entre toi et l'oncle Fred ? Je n'ai jamais vraiment su.

— Il m'a mis la main au panier quand j'étais gamin. Il a bien tout palpé.

— Va te faire foutre, Tom.

— C'est la vérité. Devant Dieu, je le jure, Jack. Sur la tête de notre mère.

Me levant d'un bond, je l'agrippai par le collet et lui assenai un direct en pleine mâchoire qui me laissa le poing douloureux. La chaise se renversa et Tommy s'effondra violemment.

Remarquant l'incident, un type costaud vêtu d'une combinaison blanche accourut dans notre direction.

Mon frère leva la main en signe d'apaisement et se redressa, peinant à contenir son fou rire.

— T'es tellement prévisible, mon pauvre Jack ! À chaque fois, c'est plus fort que toi, tu mords à l'hameçon. Lâche-moi deux minutes, tu vas te salir les ailes.

— Retire ce que tu viens de dire.

— D'accord. Je retire tout. En fait, c'était papa qui abusait de moi. Ou peut-être était-ce toi ?

— Comment tu fais pour te regarder dans la glace ?

— C'est ce gros lard de Fred qui t'a parlé de mes dettes. Je me trompe ?

J'en avais les genoux qui tremblaient de rage.

— Ça m'a fait plaisir de te revoir, Tommy. Prends soin de toi.

— Bye-bye, mon Jacko…

Il ricanait encore lorsque je quittai les lieux.

Avant de partir, je pris le temps de régler sa note pour les semaines à venir. La fille de l'accueil se montra parfaitement adorable et me demanda comment se portait mon frère, mais je fus incapable de lui répondre. Je me contentai de lui donner ma carte de crédit et de décamper au plus vite.

C'est difficile, parfois, de détester son propre frère.

66

Après être repassé à la maison, histoire de décrasser mes ailes et mon auréole, je filai tout droit vers Beverly Hills.

J'avais bien mérité quelques instants de tranquillité, seul avec moi-même : je me rendis donc au Maestro's, l'un des meilleurs grills à l'ouest de Kansas City. Il y régnait une atmosphère crooner rétro, et pas uniquement parce qu'un type chantait *My Way* au piano.

J'aperçus Ricci dans un coin, en pleine discussion avec Mosconi. Ils ne semblaient pas m'avoir vu. Annonçant au maître d'hôtel que je voulais une table calme à l'étage, je commandai un whisky soda et, une fois assis, étudiai la carte des steaks premier choix, si justement célèbres ici.

Le whisky, lui aussi de premier choix, me détendit quelque peu. J'avais pris un livre avec moi, une édition de poche bien usée de *Me Talk Pretty One Day* de l'humoriste David Sedaris, un type dont la repartie cinglante ne manquait jamais de m'arracher d'authentiques fous rires. Sa vie familiale semblait avoir été au moins aussi calamiteuse que la mienne.

Le serveur en profita pour remplir à nouveau mon verre. Bien calé au fond de ma chaise, je décrochai mon téléphone pour appeler notre bureau de Londres. Après leur avoir annoncé qui je choisissais comme directeur adjoint, je me replongeai dans ma lecture.

Le confort environnant donnait le sentiment d'appartenir à une caste de privilégiés ; seule l'arrivée sur ma table de mon entrecôte me détourna de mon bouquin.

Mon esprit retourna alors à la réalité. Je songeai à mon frère, de trois minutes mon aîné, et si proche de mon père que je le détestais pour cette unique raison. Tommy tenait de lui son narcissisme, son arrogance, cette conviction profonde que tout lui était dû. Il n'en avait pas toujours été ainsi.

De la maternelle à la quatrième, nous étions inséparables, nous serrant les coudes dans les moments difficiles. Il n'existait entre nous aucun secret. Nous avions même élaboré notre propre code pour communiquer. Et puis notre père décida un jour de nous mettre tous les deux en concurrence. Notre relation ne fut alors plus jamais la même.

De toute évidence, mon père avait choisi d'accorder ses faveurs à celui de nous deux avec lequel il partageait un prénom, ainsi que la même vision cynique du monde. Alors, peu à peu, je me rapprochai de l'oncle Fred. Prenant son paternel en exemple, Tom se montra cruel à l'égard de ma mère. Je fis mon possible pour la protéger, et mon frère et moi devînmes bien vite irréconciliables.

Le serveur interrompit le fil de mes pensées pour me servir à boire. Un couple vint s'asseoir à la table d'à côté. Il s'agissait de toute évidence d'un premier rendez-vous. Ils échangèrent un regard qui en disait long sur leur fascination mutuelle et sur l'issue probable de la soirée. Quelques gorgées plus tard, je ne pensais plus qu'à Colleen. Cet endroit lui aurait plu. J'envisageais sérieusement de la faire venir dans la maison que j'avais autrefois partagée avec Justine. Elle n'y avait encore jamais dormi, et je m'étais jusqu'à présent refusé à cette éventualité. Je ne voulais pas lui faire de mal, même si je savais que c'était inévitable.

Je lui avais dit que je ne pouvais pas garantir sa sécurité lorsqu'elle venait chez moi et que, de toute façon, je trouvais bien plus agréable de passer la nuit avec elle dans son petit nid. Elle se doutait bien que j'établissais ainsi une distance, mais semblait pour l'instant se contenter de ce qu'elle pouvait obtenir, dans l'espoir que la situation finirait par évoluer. Ma culpabilité et ma confusion s'en trouvaient encore accrues.

Mon téléphone trouva naturellement le chemin de mon oreille. Je décidai de l'appeler avant de me raviser et d'avaler mon verre d'une seule traite. Je n'étais pas juste avec elle. J'allais devoir mettre un terme à notre relation, mais l'idée de la perdre et de la faire souffrir me terrifiait.

Laissant derrière moi un gros pourboire, je pris la route. *Jack*, songeai-je, *tu n'es qu'un pauvre con.*

67

Bien qu'elle en eût désespérément besoin, Justine ne parvenait pas à chasser l'enquête de son esprit.

Elle arpenta le long couloir jalonné de néons fluorescents, goûtant à la fraîcheur du lieu. Arrivée devant la porte 301, elle entra à l'intérieur du bureau que la détective Charlotte Murphy partageait avec trois autres collègues. Il s'agissait d'une vaste pièce rongée par l'humidité, située dans un coin peu fréquenté du commissariat. Les affaires classées terminaient leur vie ici.

Charlotte Murphy portait un pantalon coupe homme bleu marine avec une chemise assortie, boutonnée jusqu'en haut, et un insigne doré autour du cou. Un sourire accueillant ainsi que des yeux d'un bleu exceptionnel venaient tempérer la relative sévérité de son attitude.

Après lui avoir serré la main, elle présenta Justine aux autres policiers. Les deux femmes prirent place.

— Ça m'a pris plusieurs heures pour retrouver les effets personnels de Wendy Borman dans nos archives, expliqua-t-elle. Vous voulez commencer par lire le rapport d'homicide ? Prenez votre temps, surtout. Des affaires désespérées, j'en ai encore un paquet à traiter.

Murphy glissa devant elle un gros cahier perforé. Justine frétillait d'impatience à l'idée de tout ce qu'il pourrait lui révéler.

Elle parcourut les pages en papier cristal, dont le contenu avait été consigné dans un ordre chronologique strict. Au tout début se trouvait une série de photos du corps de Wendy Borman gisant dans la petite ruelle derrière Hyperion, à quelques mètres de l'endroit où Connie Yu avait été retrouvée. On l'avait laissée là, habillée, les cheveux trempés, le bras gauche sous un tas d'ordures.

Des esquisses de la scène du crime suivaient, ainsi qu'une copie du rapport de sept pages qu'avait rédigé le médecin légiste. Cause du décès : strangulation manuelle.

Les notes prises par le détective Bruno lors de son enquête avaient également été reproduites. Venait ensuite la retranscription d'un entretien avec l'unique témoin, la jeune Christine Castiglia.

La page suivante détaillait le contenu du sac à dos de la victime, ainsi qu'une liste des objets volés. Le tueur avait emporté un bijou artisanal : une chaîne en or avec un pendentif en forme d'étoile.

Vers la fin du dossier se trouvait une photo de Wendy Borman portant le collier alors qu'elle était encore en vie. Elle posait debout entre ses parents, un bras sur chaque épaule. Blonde, souriante, sportive, elle les dépassait déjà en taille. Elle donnait l'impression de ne jamais devoir mourir. *Quelle tristesse.*

— Je suis prête à examiner ses effets personnels, annonça finalement Justine. Enfin, je crois.

Murphy lui offrit une paire de gants en latex provenant d'un distributeur automatique, puis elle exhiba une boîte en carton toute simple, dont elle rompit l'adhésif rouge à l'aide d'un canif. Soulevant le couvercle, elle en retira un sac en plastique scellé, qu'elle ouvrit à son tour.

Justine peinait à contenir son impatience, et se sentait comme submergée par une violente poussée d'adrénaline. C'était précisément ce genre de sensation qui l'avait attirée vers ce métier et qui faisait d'elle l'une des meilleures dans son domaine. Le contenu de ce carton lui dévoilerait peut-être une nouvelle facette du mystère.

Peut-être lui permettrait-il même d'identifier le tueur.

Elle plongea la main dans le sac pour en retirer un jean stretch et un tricot bleu pâle à col large.

Suivirent une paire de Nike et des chaussettes assorties au chandail.

Elle étala les effets devant elle, examinant tout particulièrement les endroits où des échantillons avaient été prélevés.

— Je suppose que le sang appartenait à la victime.

Murphy acquiesça silencieusement.

— J'aurais besoin de vous emprunter ces vêtements, reprit Justine.

— Le commissaire Fescoe et le district attorney Petino ont déjà donné leur feu vert. À vous de jouer.

Elle lui tendit un formulaire ainsi qu'un stylo.

— Le bras gauche de Wendy se trouvait sous un tas d'ordure, précisa la policière. La manche de son pull n'a pas été trempée par la pluie. Je serais vous, je demanderais à votre labo d'en faire une analyse. La technologie a beaucoup progressé, et avec le matériel dont vous disposez, chez Private…

— Le plus important : ne pas perdre espoir ! renchérit Justine.

— Le plus important, c'est de coffrer cet enfoiré, corrigea la détective avec un sourire qui témoignait d'une détermination sans faille.

68

— Vous vous souvenez de l'affaire Wendy Borman ? demanda Justine.

Une odeur de friture d'oignons, de poisson et de pommes de terre flottait dans l'air. La *profiler* se trouvait dans la cafétéria de Belmont Highschool, en face de Christine Castiglia, unique témoin dans l'enlèvement de Wendy. C'était une petite jeune fille, désormais âgée de seize ans, qui se tenait recroquevillée sur elle-même. Elle dévisageait son interlocutrice de ses grands yeux, qu'une épaisse frange brune dissimulait en partie.

Pas besoin d'être psy pour voir qu'elle était terrifiée. Justine, pas très à l'aise elle-même, allait devoir marcher sur des œufs. Il fallait à tout prix que cette fille lui révèle ses secrets avant que le tueur ne frappe à nouveau.

— Je n'avais que onze ans à l'époque, précisa Christine.

— Oui, je suis au courant, confirma la *profiler* en remuant sa paille dans son verre de Coca Light. Pouvez-vous malgré tout me raconter ce que vous avez vu ? J'ai besoin de l'entendre de votre bouche.

— Et vous pensez que ce sont les mêmes garçons qui sont responsables de la mort de toutes ces filles ?

Derrière elles, on laissa tomber un baquet de vaisselle. Le vacarme les fit toutes deux sursauter. Justine attendit que les gamins aient fini d'applaudir pour reprendre la parole.

— C'est tout à fait possible. Quatre années se sont écoulées entre la mort de Wendy et celle de Kayla Brooks. C'est pour cette raison que personne n'a songé à relier les deux affaires. Ce que vous avez vu est d'une importance cruciale. Si Wendy était leur première victime, il se peut qu'ils aient commis une erreur.

— C'était un van noir tout simple. Il s'est arrêté dans une rue perpendiculaire à Hyperion, et quand je l'ai regardé à nouveau, il y avait ces deux types en train d'attraper cette fille. Ça a pris moins d'une seconde. Elle faisait une crise ou quelque chose du genre. Ils l'ont fait basculer à l'intérieur du van, l'un des deux a pris la place du conducteur et ils sont partis. J'ai déjà donné une description du conducteur à la police.

— Wendy Borman a été immobilisée à l'aide d'un pistolet à impulsion électrique, expliqua Justine. Ça explique la « crise » dont vous parlez. Votre mère n'a rien vu du tout ?

Christine fit non de la tête.

— Je n'étais pas sûre moi-même de ce que je venais de voir. C'était comme un flash publicitaire, hyper rapide, intercalé entre deux pensées. Je suis restée tétanisée, et le temps que ma mère se retourne pour regarder à son tour, le véhicule était parti. Elle ne m'a pas cru. Ou alors, elle n'a pas voulu me croire. Mais quand on en a parlé à la télé, elle a fini par appeler la police. Elle a plus confiance en la télé qu'en sa fille…

Les autres élèves défilaient autour de la table, les yeux rivés sur cette femme en tailleur en pleine conversation avec une fille de l'école.

— Parlez-moi de ce garçon. Celui dont vous avez vu le visage.

— Sur le dessin de la police, on dirait Superman. Mais il n'avait pas exactement cette tête-là. Son nez était plus pointu, et il avait les oreilles un peu décollées. Très décollées même, je dirais.

— Avez-vous eu le temps de lire la plaque d'immatriculation sur le van ? Même un ou deux chiffres, ça m'aiderait beaucoup.

Les yeux de la jeune fille roulèrent dans leur orbite : elle semblait fouiller sa mémoire. Une sonnerie retentit alors, assourdissante. Les étudiants se levèrent en masse, bousculant Justine et renversant sa mallette au passage.

— Il y avait un logo « Gateway » sur la vitre arrière. Comme cette marque d'ordinateurs, vous savez ? Sauf qu'il n'y avait pas les taches noires et blanches, comme sur le vrai logo.

— Vous l'avez dit à la police ?

— Je crois. Ma mère était complètement paniquée. Elle n'avait qu'une obsession : m'arracher à ces gens le plus vite possible.

Justine la regarda un instant, et, pour la première fois, la fille ne baissa pas les yeux.

— Vous pouvez essayer de me le dessiner, ce logo ?

Christine attrapa le smartphone que lui tendait l'enquêtrice et, à l'aide du stylet, traça une forme ovale ainsi que le mot « Gateway » en lettres stylisées.

— C'est à peu près ça. Je me demande pourquoi je m'en souviens si bien…

Justine contempla un instant cette esquisse rudimentaire : le logo lui fit penser à celui d'une école privée de Santa Monica devant laquelle elle passait, à l'époque où elle travaillait au centre psychiatrique municipal et qu'elle se rendait fréquemment à Stateside, la prison d'État pour aliénés mentaux.

Elle gardait des souvenirs très précis de ses patients : ceux qui avaient déclenché des incendies, abattu leurs parents par balles ou fait sauter des cours d'écoles. C'était un travail démoralisant, traumatisant même, mais qui lui avait permis de découvrir le fonctionnement mental de certains des criminels les plus dangereux au monde. Le contraste entre Stateside et Gateway, distants d'un kilomètre à peine, n'avait pas manqué de retenir son attention.

Elle repensa au logo. Il n'en était fait aucune mention dans le rapport de police. Il s'agissait d'un élément nouveau, et la description du conducteur était elle aussi nouvelle. Peut-être avançait-elle dans la bonne direction, après tout. Encore fallait-il que ces agresseurs fussent bien les tueurs qu'elle recherchait.

— Ce garçon, vous pourriez l'identifier à nouveau, si vous le revoyiez ?

— Jamais je n'oublierai son visage.

— Christine, vous m'avez été d'une grande aide, la remercia Justine en lui tendant sa carte. Si jamais d'autres détails vous reviennent en mémoire, appelez-moi.

69

Encore une raison pour laquelle il faisait bon travailler chez Private : vingt-quatre heures suffisaient pour pratiquer un test ADN, alors qu'au laboratoire municipal, du fait de la quantité d'affaires à traiter, cela prenait une éternité.

Il était 4 heures du matin, mais, au sous-sol, les lumières artificielles brillaient de tous leurs feux. Cela faisait maintenant vingt heures que l'équipe de Doc travaillait sans relâche sur les vêtements de Wendy, faisant passer toutes sortes de tests à ces tissus conservés depuis cinq ans dans les locaux de la police de Los Angeles.

Rien à redire sur la méthode de stockage ; en revanche, la pluie et les ordures avaient laissé des traces. Heureusement, le matériel récent était très performant, et une nouvelle méthode d'analyse ADN avait fait son apparition : le *touch DNA*.

Doc aimait les fins heureuses. Comme beaucoup de scientifiques, cet optimisme à tout crin lui permettait d'endurer la monotonie des tâches répétitives et des expériences ratées.

Il avait donné pour instruction d'analyser le dessous de la manche gauche ainsi que le pli d'une chaussette, deux endroits que la pluie n'avait pu atteindre.

Après avoir copié l'ADN, séparé de son substrat, dans le thermocycleur, il fit passer les échantillons dans une machine de la taille et de la forme d'une photocopieuse de bureau, selon une méthode connue sous le nom d'électrophorèse capillaire : le matériau était envoyé le long d'un tube capillaire qui permettait de trier l'ADN coloré artificiellement en fonction de sa taille et de sa charge électrique.

Le résultat à l'issue du processus se présenterait sous forme d'électrophorégramme, que l'on utiliserait ensuite pour trouver des correspondances dans la base de données.

L'image de Kat occupait l'un des écrans du scientifique. Il la tenait au courant de son travail en temps réel.

— Tu es encore là, ma chérie ?

— Doc, tu oublies le décalage horaire. J'ai d'autres choses à faire, tu sais.

— Du genre ?

— Eh bien, défragmenter mon disque dur, par exemple. Ou trier mes notes de taxi. Déjeuner avec Helga, que je déteste. Tout serait plus productif que de rester là devant mon écran. Regarde ! Quelque chose vient de sortir !

Doc consulta avec étonnement la feuille ornée de deux séries de pics : deux sources avaient été identifiées, toutes deux avec un chromosome Y.

Quel miracle !

Il se tourna vers Kit-Kat avec un sourire de plus en plus large.

— Deux individus de sexe masculin ont touché les vêtements de Wendy Borman, tous deux dans des zones intimes. C'est incroyable, non ? Nous tenons enfin une preuve. Une belle, une magnifique preuve.

— Je te porte chance, apparemment.

— Ma chérie, tu es mon porte-bonheur préféré !

— Eh bien, j'en suis ravie, mon bébé. Mais je vais devoir partir, maintenant.

— Reste avec moi le temps que j'entre ces deux profils dans notre système.

— Autant chercher une aiguille dans une botte de foin au milieu d'un champ de bottes de foin.

— Ce qui ne nous empêche pas de passer encore un peu de temps ensemble. J'aime quand tu es à mes côtés.

— Ça marche, concéda-t-elle avec le sourire. Dansons alors, mon bel amant.

70

Dans sa bulle, à l'autre bout du laboratoire, Mo avait entièrement personnalisé son espace sans fenêtres, dans lequel des bâtons d'encens brûlaient en permanence : fauteuil inclinable, foulards en guise d'abat-jour, diaporama avec photos de ses enfants sur l'ordinateur à sa gauche, et aquarium d'utsuris bleus de l'autre côté.

L'ordinateur portable de Jason Pilser se trouvait ouvert devant elle.

Maureen Roth se servait d'un programme unique qu'elle avait développé elle-même et baptisé « Master Key ». Grâce à lui, elle était déjà parvenue à récupérer les mots de passe de Jason, à fouiller son disque dur, parcourant ce qu'il restait du cerveau électronique du jeune homme.

— Je m'attaque à ses e-mails, lança-t-elle à Doc. Je suis vraiment trop forte…

— C'est toi la reine des *geeks*, renchérit celui-ci.

— Je veux, oui. Regarde ça.

En termes de communications électroniques, Jason était du genre à ne jamais rien jeter. Il utilisait plusieurs pseudonymes, que Mo identifia sans difficulté. Elle ouvrit ainsi son compte professionnel et passa en revue les messages à l'intention et en provenance de son patron et de ses collègues. Dénués d'intérêt, ils ne révélaient rien et ne menaient nulle part.

Elle craqua le mot de passe de son compte « Atticus » sur le forum du jeu Commandos of Doom et écuma sa messagerie. Pilser se connectait sous ce pseudo pour envoyer ses messages privés et, en cette belle année 2409, mettre à feu et à sang le royaume des morts de Quaraziz. *Pauvre type*… Mo prit en note le nom de ses amis et ennemis virtuels avant d'accéder à sa page MyBook.

Pilser y avait posté des commentaires sur ses films préférés ou sur ses « amis », ainsi que des photos de lui-même. Elle ne trouva rien de particulièrement morbide, tout juste quelques diatribes vaguement politiques. Rien n'y laissait penser qu'il ait pu souffrir de troubles dépressifs. Se plonger dans sa vie était pourtant bien déprimant.

Mo cliqua ensuite sur les icônes de sa barre de tâches. L'une d'entre elles l'intrigua tout particulièrement : un doigt qui envoyait des éclairs. Le nom « Scylla » apparut lorsqu'elle passa la souris dessus.

Le lien la dirigea vers une page Internet modifiée un mois auparavant et intitulée « Scylla est grand ». Il s'agissait d'un portail vers le blog personnel de Jason. Mo sentit son cœur s'arrêter de battre.

Elle en parcourut le contenu à toute vitesse, ouvrit les différents liens, et découvrit la passerelle qui reliait le monde réel au monde virtuel.

Prenant appui contre son bureau, elle se propulsa alors en arrière sur son fauteuil à roulettes. L'instant d'après, elle se tenait debout devant Doc, qui la regardait sans la voir. Elle venait de percer à jour tout leur plan d'action et se sentait comme la nouvelle Sherlock Holmes, féminine et moderne.

— Dans une semaine, annonça-t-elle, il y aura une nouvelle Freek Night. Tu comprends ce que ça veut dire, Doc ? C'est le nom qu'ils donnent à leur petit jeu meurtrier. Jason Pilser y aurait participé s'il avait vécu.

— Je suis désolé, j'avais la tête ailleurs. Je suis en train d'interroger la base de données ADN.

— Écoute-moi bien. Il y a deux tueurs, les *Street Freeks*. Leurs pseudos sont « Morbid » et « Freezer », et ils ont déjà choisi leur cible. Elle vit à Silver Lake et se fait appeler « Lady B ». Doc ? Tu comprends ce que ça veut dire ? Dans sept jours, ils vont tuer cette fille.

71

Jack avait prévenu le nouveau bureau de Miami de la venue d'Emilio Cruz. À son arrivée à l'aéroport, celui-ci fut accueilli par Diana Di Carlo, du personnel de direction.

Ancienne de la CIA, Di Carlo se montra particulièrement efficace. Elle tendit à Cruz une mallette contenant un kit complet : revolver, équipement de surveillance, clés de voiture et numéros de toutes les sources dont il pourrait avoir besoin en Floride du Sud. Elle lui donna les coordonnées du Biltmore, l'hôtel où résidaient les hommes qu'il allait devoir prendre en filature.

Cruz réserva une chambre juste au-dessus de la leur, installa ses microphones et les mit sur écoute.

Le soir, il les suivit dans leur virée à travers les clubs et restaurants de la ville. À Hialeah, il les observa même parier sur les courses de chiens.

Trois jours plus tard, il se tenait assis sur un mur en corail fossilisé avec, en contrebas, la plage et l'océan. South Beach constituait la partie la plus flashy et la plus sexy du vieux Miami ; avec son marcel sous sa chemise ouverte, ses lunettes de soleil montures sport et ses tresses, Cruz se mêla sans grande difficulté à la faune locale.

Bien qu'en apparence absorbé par le programme quotidien des courses, il se chargeait en réalité de filmer la scène qui se déroulait sous ses yeux à l'aide d'une caméra logée dans l'une de ses branches de lunettes. Les images étaient ensuite directement transmises au labo de Private par satellite.

Assis sur un banc à une dizaine de mètres devant lui, trois hommes lui tournaient le dos pour faire face à Ocean Drive. Ils semblaient tout entiers absorbés par les filles à demi nues et couvertes de tatouages qui patinaient sur le goudron brûlant.

Les deux types que Cruz surveillait, des arbitres de la NFL, se nommaient Kenny Owens et Lance Richter. Le premier était chauve, avec des taches de rousseur ; Richter, de vingt ans son cadet, arborait une impressionnante tignasse brune, un coup de soleil rouge vif et une grosse Rolex tape-à-l'œil.

Cinq minutes plus tôt, ils avaient retrouvé Victor Spano, un lieutenant de la famille Marzullo, de Chicago.

72

Spano semblait sortir de la douche. Il portait un holster sous une veste bleu saphir et racontait à ses compagnons sa nuit au Nautilus Hotel, de l'autre côté de la rue. Aucune autre ville que Miami, pas même Vegas, n'offrait une telle vie de débauche.

— La mère était plus sexy que la fille, mais celle-ci compensait par son enthousiasme.

— Monsieur Spano, intervint Richter, haussant les épaules, vous ne croyez pas qu'on frise l'inceste ?

— Mais non, voyons, c'était sa belle-mère. Vous me prenez pour un dépravé ou quoi ?

Tous trois éclatèrent de rire.

— Revenons aux choses sérieuses, enchaîna Richter. Notre job, cette semaine : Tennessee par dix-sept points à Oakland. Les Raiders ont beau avoir été minables, ils jouent mieux à domicile. Ils n'ont perdu face aux Colts que de dix points, et ils menaient à la mi-temps. Jarvis et Ruggins peuvent se montrer dangereux. En plus de ça, Tennessee a rarement convaincu lorsqu'ils étaient en déplacement, même avec Ryan Moulton. Dix-sept points, on est loin de la balade de santé ; la pression risque d'être phénoménale.

— Je comprends vos craintes, Lance, acquiesça Spano. Mais vous savez ce qu'on dit : la pression, on se la crée soi-même. Vous êtes des pros, tous les deux. Je ne vois aucun problème.

Un jeune SDF vêtu d'une chemise verte crasseuse, les dents abîmées par la crystal meth, s'avança vers Cruz pour lui réclamer quelques pièces afin de payer ses études.

— Tu me fais de l'ombre, lui rétorqua l'enquêteur.

— Toi, tes pièces, tu vas t'étouffer avec ! lui lança le gamin, qui ressemblait déjà à une épave.

Le temps que ce petit insolent disparaisse, les trois conspirateurs avaient mis fin à leur réunion. Spano retourna dans son hôtel Arts déco, de l'autre côté de la rue. Les deux arbitres montèrent dans un taxi, en direction du centre-ville.

Tant pis. Cruz détenait déjà l'essentiel. Les Titans allaient écraser les Raiders. Les arbitres avaient pour mission d'empêcher un massacre tout en assurant à leurs favoris une avance de dix-sept points. S'ils y parvenaient, leur client empocherait une petite fortune.

Cruz appela Jack.

— Bonnes nouvelles, annonça-t-il. Excellentes nouvelles, même. J'ai enregistré toutes leurs manigances. Tu as tout reçu, capitaine ?

— Cinq sur cinq. On a tout ici au labo. Audio *et* vidéo. C'est qui le type avec une veste bleue ?

— Victor Spano. Un mafieux de Chicago, de la famille Marzullo.

— C'est complètement dingue ! Beau travail, Cruz. Il est temps de rentrer à la maison maintenant, on a besoin de toi.

73

Justine dînait à Beso, le spectaculaire restaurant à la grande salle voûtée tenu par Eva Longoria et Todd English. On pouvait y savourer une cuisine mexicaine agrémentée de petites touches maison.

Sa table lui offrait une vue imprenable sur tout le gratin environnant, mais elle n'avait pas pour habitude d'épier les célébrités, et se contenta de feuilleter une pile d'albums souvenirs de Gateway. Le serveur débarrassa sa table et lui apporta l'addition.

— Tout s'est bien passé ce soir, madame Smith ? Comment avez-vous trouvé la sole au citron ?

— Tout s'est *merveilleusement* bien passé, Raphaël. Votre sole, c'est une véritable drogue.

En vérité, rien ne se passait merveilleusement bien en dehors du poisson. Elle avait repéré une dizaine d'adolescents scolarisés à Gateway entre 2004 et 2006 et qui correspondaient plus ou moins à la description que lui avait donnée Christine Castiglia. Certains avaient un grand nez, d'autres des oreilles décollées, mais aucun n'avait de casier judiciaire.

La *profiler* paya sa note et consulta ses messages en attendant que le garçon lui rapporte sa carte bancaire. Il y en avait un de Bobby et un autre de la mère de Christine, Peggy Castiglia.

La jeune fille avait-elle de nouvelles révélations à lui faire ? Justine appuya sur une touche pour rappeler sa mère. À la cinquième sonnerie, on lui répondit.

— Laissez ma fille tranquille, lui annonça Mme Castiglia sans préambule. C'est une enfant angoissée, inutile d'en rajouter. Vous ne pouvez pas vous fier à ce qu'elle dit, de toute façon. Elle ne veut pas vous décevoir. À l'heure qu'il est, elle est dans sa chambre en train de pleurer.

Justine expliqua qu'elle était désolée, que ce n'était pas son intention de donner à Christine davantage de soucis, mais qu'à l'heure actuelle, sa coopération se révélait indispensable.

— Indispensable pour qui ? rétorqua sa mère. Certainement pas pour ma fille.

Agrippée à son téléphone, Justine sentit son cœur s'emballer.

— Madame Castiglia, treize filles sont déjà mortes, et peut-être même plus encore. À l'heure actuelle, Christine est la seule personne qui puisse nous aider. Vous comptez sérieusement vous opposer à la capture d'un tueur en série ?

— Je ne peux pas me permettre de me préoccuper des autres filles, madame Smith. Si vous étiez mère, vous comprendriez. Laissez ma Crissy tranquille. Ne m'obligez pas à appeler la police.

— Mais c'est moi, la police ! s'écria Justine d'une voix rauque. Je peux ordonner sa comparution en tant que témoin principal. Mais j'aimerais autant qu'on évite d'en arriver là.

— Essayez voir, madame Smith. Je me battrai jusqu'à mon dernier souffle.

À ces mots, Peggy Castiglia raccrocha.

74

Sur l'autoroute qui la menait chez elle, Justine bouillonnait. Doc avait beau avoir extrait l'ADN des vêtements de Wendy Borman, aucune correspondance n'avait été trouvée dans la base de données. Impossible d'identifier les agresseurs. La solution semblait si proche…

Pendant ce temps, les *Street Freeks* se préparaient à frapper à nouveau.

Justine aperçut une sortie qu'elle connaissait bien; sur un coup de tête, elle s'engagea, direction la maison de Bobby.

Cet homme avait le don de la rassurer. Peut-être pourrait-il faire entendre raison à Peggy Castiglia. Sinon, il lui faudrait entamer la procédure légale permettant d'obtenir la coopération de Christine.

Parfait, songea-t-elle en apercevant la voiture garée à sa place habituelle, le long de la route. Elle laissa son propre véhicule en contrebas, franchit le portail d'entrée et sonna à la porte. En l'absence de réponse, elle emprunta le petit chemin de pierre qu'elle connaissait si bien jusqu'à la vaste pelouse à l'arrière, avec son extraordinaire vue sur le canyon.

Elle se déchaussa et savoura le contact de l'herbe moelleuse sous ses pieds.

C'est alors qu'elle l'aperçut qui prenait son bain.

— Bobby ! l'interpella-t-elle. J'ai eu envie de passer plutôt que te rappeler…

Il se retourna et, visiblement mal à l'aise, resta un instant accroupi. À cet instant précis, Justine vit qu'une femme se trouvait également dans sa baignoire. Nue, elle aussi.

75

La femme se mit à hurler, couvrant de ses mains sa petite poitrine. Bobby, le visage tordu par la colère, lui hurla à son tour de rester là où elle était. Il chercha ses lunettes à tâtons tandis que sa « copine », toute rose sous l'effet de la chaleur, réclamait son peignoir à grands cris.

Justine reconnut alors la femme en question : il s'agissait de Marissa, l'épouse de Bobby, dont il s'était séparé depuis plus d'un an et qu'il n'aimait plus. Celle qui avait fait ses valises pour Phoenix et qui, d'un jour à l'autre, devait signer les papiers du divorce.

Elle fut saisie de vertiges ; sa douleur n'avait d'égale que sa déception.

Elle voulut s'enfuir mais réussit à se contenir : autant se confronter à la réalité. Il lui fallait obtenir des réponses. Les raisons de la présence de Marissa Petino ce jour-là semblaient évidentes, mais certaines questions s'imposaient malgré tout.

Elle s'avança vers la baignoire, de façon à pouvoir être entendue.

— Je m'appelle Justine Smith, annonça-t-elle. Je suis désolée de vous interrompre, mais je pensais que Bobby serait seul.

Agrippée à son peignoir, Marissa fusilla son mari du regard.

— Qui est cette femme ?

— Bobby et moi nous voyons depuis un peu plus d'un an, s'interposa Justine. N'est-ce pas, Bobby ?

Les lunettes en travers du nez, il s'était drapé d'une serviette et semblait avoir perdu son légendaire sang-froid, ce qu'il détestait plus que tout au monde.

— Justine, bon sang, ce n'est vraiment pas le moment, protesta-t-il. Laisse-moi te raccompagner jusqu'à la porte d'entrée.

Mais celle-ci continua sans lui prêter la moindre attention.

— J'ai quelque chose à vous demander, Marissa. Bobby vous a-t-il dit qu'il comptait se présenter en tant que gouverneur ?

— Quelle question ! Bien sûr qu'il me l'a dit. Cela signifie que vous le voyez en ce moment ?

Le district attorney s'interposa, le visage tellement rouge que Justine craignit un instant qu'il ne devienne violent.

— Je ne voulais pas te l'annoncer de cette façon, soupira-t-il. Tu n'aurais pas dû débarquer ici sans prévenir.

— Je t'aimais, rétorqua sa maîtresse. J'avais confiance en toi.

— Je ne t'ai jamais promis quoi que ce soit. Je ne t'ai jamais menti.

La main de Justine partit toute seule, laissant sur la joue de Bobby une marque blanche.

— Tu m'as menti sur toute la ligne. C'est si difficile pour toi à admettre ?

Marissa Petino resserra la ceinture de son peignoir avant de se lever pour faire face à son mari.

— Je comprends mieux, maintenant, déclara-t-elle. Plus facile de se présenter comme gouverneur avec sa femme à ses côtés qu'avec sa petite amie.

— Je t'en prie, Marissa, répondit-il, on reparlera de ça une autre fois.

— Il n'y aura pas d'autre fois, répliqua celle-ci. Justine, je vous remercie. J'ai parfois bien besoin qu'on me rappelle le genre de chacal qui se cache sous les traits de mon futur ex-mari.

— Mais je vous en prie, s'esclaffa-t-elle.

— Vous pouvez me raccompagner ? Ma voiture est au Beverly Hilton. Je suis prête dans deux minutes. Bobby, je te souhaite d'attraper la lèpre et d'en crever.

— Ma voiture est garée en face. La Jaguar bleue. Je vous attends là-bas, proposa Justine avant de se tourner vers son amant. Bonne chance pour ton élection, enfoiré. Et surtout, ne t'avise pas de me rappeler.

QUATRIÈME PARTIE
Shooter

76

Une pancarte « ne pas déranger » pendait à la poignée de la suite d'Andy, au troisième étage du Château Marmont, le célèbre hôtel du Sunset Boulevard. Il était presque 11 heures et je tambourinais sur la porte en bois massif.

— Andy ? C'est Jack. Laisse-moi entrer.

— Va-t'en, répliqua mon ami de l'autre côté de la porte. Je ne sais pas ce que tu vends, mais ça ne m'intéresse pas.

— Sors de là, allez. J'ai déjà annoncé au gérant que tu étais sous surveillance pour comportement suicidaire. Si tu ne m'ouvres pas, c'est lui qui va s'en charger.

La porte s'entrebâilla finalement et Andy fit son apparition, vêtu d'un pyjama froissé, une bouteille de Chivas à moitié vide à la main. Ses cheveux étaient dressés sur sa tête, comme s'il ne s'était pas lavé ou peigné depuis un certain temps.

— Je t'ai viré, il me semble.

— Je sais, espèce d'abruti. Mais je travaille gratuitement, maintenant, figure-toi. Si je suis ici, c'est parce que tu es mon meilleur ami.

Je le suivis jusqu'au salon, dont les rideaux étaient tirés, faisant régner la pénombre.

Un vieux film avec Harrison Ford, *Witness*, passait à la télé. La suite ressemblait à un décor de film des années 1930, ou à un appartement de l'ouest new-yorkais. Un seul détail clochait : le carton à pizza resté ouvert sur un fauteuil, à côté de l'énorme téléviseur. Je le ramassai et le mis à la poubelle dans la kitchenette. De retour dans le salon, je pris place face à Andy.

— Comment vas-tu ?

— Comme tu peux le voir, je pète la forme, railla-t-il.

— Je suis désolé.

Il descendit une gorgée de whisky avant de continuer.

— Et maintenant, Jack ? La dernière fois que je t'ai vu, tu m'as appris que ma femme était une putain. Tu me réserves quoi comme surprise, aujourd'hui ?

— Elle se droguait.

— Quoi ? Qu'est-ce que tu viens de dire ?

— Elle consommait du crack. De l'héro aussi, sans doute.

— Jack, va te faire foutre, mec. Putain, mais qui en a encore quoi que ce soit à battre ? Elle est morte, Jack. Morte. Et regarde un peu ce qu'elle laisse derrière elle. J'ai les flics au cul nuit et jour. Mes amis m'évitent et ça semble difficile de leur en vouloir. Et cette saleté de chambre qui me coûte une petite fortune chaque jour… Tout ça par la faute de cette pute héroïnomane qui me servait de femme.

— Le truc, Andy, c'est que son addiction nous permet de mieux comprendre certaines choses la concernant. Comme cette vie secrète qu'elle s'est crue obligée de mener. Comme le fait qu'elle ait eu besoin de tout cet argent sans pouvoir t'en parler.

Andy attrapa la télécommande et, le regard vide, parcourut les différentes chaînes tandis que je lui parlais. Il semblait avoir renoncé.

— Ça nous fait aussi une piste supplémentaire, complétai-je. Nous avons plusieurs tuyaux concernant son dealer. Comme je te l'ai déjà dit, si on trouve le type qui a fait le coup, tu cesses d'être un suspect aux yeux de la police.

— Viens ici, Jack, que je te donne un gros bisou baveux, ironisa-t-il en levant finalement les yeux vers moi.

Je lui confisquai la télécommande et éteignis l'écran.

— Je ne suis pas responsable de cette situation. J'essaye seulement de t'aider.

— Mais oui.

— Comme tu m'as aidé à l'école, à l'époque où cette fille que je voyais se tapait Artie Deville dans mon dos.

— Laurel… J'ai oublié son nom.

— Welky. Tu m'as soutenu pendant toute la période Laurel Welky et tu m'as empêché de buter cet enfoiré. Je l'aurais tué, Andy. Et tu te souviens de la fois où j'avais planté ma caisse dans une cabine téléphonique en plein cœur de Providence ? C'est toi qui as plaidé ma cause auprès du doyen de la fac. Sans parler de mon père.

— Ha ha, s'esclaffa Andy. Ton père…

On était loin du rire à gorge déployée, mais au moins était-ce un début. Je commençais à retrouver mon vieil ami.

— Je vais le coffrer, ce salaud.

— Je sais. Tu es fort, Jack. Vous êtes forts, chez Private. Encore plus forts que quand c'était ton père qui gérait la boîte.

— Allez, je t'emmène dîner, ce soir. Un endroit chouette, sur la côte.

— Merci, Jack, chuchota-t-il, les larmes aux yeux.

Nous nous étreignîmes dans l'entrée en nous tapotant dans le dos.

— Je suis tellement triste pour elle, gémit-il, des sanglots dans la voix. Elle vivait en enfer et ne m'a jamais rien dit. Pourquoi ne m'en a-t-elle pas parlé ? J'étais son mari, nom de Dieu ! Jack, j'étais son *mari* !

77

D'après sa meilleure cliente – une star de cinéma qui lui servait sans doute d'amante –, le dealer de Shelby était un ancien taulard du nom d'Orlando Perez.

À en juger par son casier judiciaire, il s'agissait d'un connard du genre brutal, arrêté à plusieurs reprises pour violence conjugale et voie de fait. Il avait écopé de trois ans à Chino, un vrai trou à rats, pour possession de drogue avec volonté de revendre. Depuis sa sortie, en 2008, il s'était montré suffisamment rusé pour ne pas replonger.

Perez vivait à présent avec sa femme et ses enfants dans une monstruosité néo-grecque à 2 millions de dollars, quelque part sur Woodrow Wilson Boulevard. Deux voitures trônaient dans l'allée principale : une BMW modèle récent et un 4 × 4 Cadillac Escalade avec enjoliveurs en or.

Cela faisait quarante-huit heures que Del Rio l'avait pris en filature, écoutant chacune de ses conversations au moyen d'un micro-cravate Sennheiser MKE 2 et d'une antenne parabolique grande comme une moitié de pamplemousse.

Perez se servait de plusieurs téléphones portables avec cartes prépayées pour ses deals, qu'il concluait ensuite dans un parking ou au bord d'une route. Sa clientèle se composait de cadres fortunés, de mannequins et autres starlettes en tous genres, lesquelles obtenaient vraisemblablement des réductions en échange de services en nature sur le siège avant de son véhicule.

Une jolie brune, un mioche dans les bras, l'autre agrippé à la main, sortit de la maison. Elle monta dans la BMW et nous doubla sans nous prêter attention.

— La bonne, railla Del Rio.

Il enfila son casque d'écoute et m'indiqua que Perez se trouvait désormais seul chez lui. Le dealer était en pleine conversation avec une dénommée Butterfly, une cliente apparemment mécontente à qui il promettait de fournir ses précieuses doses dès que possible.

— Il retrouve Butterfly sur le parking du Holiday Inn de Cahuenga dans vingt minutes, m'annonça Rick.

— C'est compter sans nous, répondis-je. Allons-y.

Nous descendîmes de notre voiture de fonction pour nous diriger vers la porte d'entrée. Je sonnai une première fois, puis une deuxième.

— Ouvrez, Perez, finis-je par hurler. Vous avez gagné plusieurs millions de dollars à la loterie !

Je venais de demander à Del Rio de se tenir près du 4 × 4 lorsque la porte s'ouvrit.

Pieds nus devant nous se tenait un homme au teint mat et à la moustache dans le plus pur style Fu Manchu, en décalage complet avec ses longs cheveux décolorés. Une cicatrice lui traversait la barbe, accentuant encore son air hargneux.

Était-ce là le dernier visage que Shelby Cushman avait contemplé ? Voilà qui ne m'aurait guère surpris.

Ce salopard l'avait-il descendue faute de recevoir ses paiements à temps ? Je brandis mon insigne : nous prenant pour des flics, notre hôte sembla hésitant.

— Vous faut un putain de mandat, marmonna-t-il, le visage contracté par la rage, sa cicatrice plus blanche que jamais.

Del Rio, qui m'avait rejoint, plaqua l'épaule contre le panneau de la porte pour éviter qu'il ne la referme.

— Vous voyez ? Pas besoin de mandat, constata-t-il.

78

— Barrez-vous de chez moi, hurla Orlando Perez. Allez, dégagez !

— Jack, j'ai oublié mon bouquin dans la voiture, déclara Del Rio après avoir sorti son flingue. Tu sais, ce traité de négociation intitulé *Comment obtenir un oui*. Tu peux me le ramener ?

— Je crois qu'on va pouvoir s'en passer, répondis-je.

— Oui, je le crois aussi, renchérit Rick. Voyons voir si mes souvenirs sont bons.

Perez avait les pupilles dilatées, n'en revenant toujours pas.

— Hé ! cria-t-il. Je vous ai dit de partir !

— On n'est pas flics, expliquai-je en éteignant la chaîne stéréo. Mais si ça vous chante, vous pourrez leur passer un coup de fil après notre petite conversation.

Le dealer saisit un flingue posé sur une chaise longue et s'apprêtait à le pointer vers nous lorsque, l'attrapant par les genoux, je le mis à terre.

La rafale partit à travers la pièce. Les balles sifflèrent à mes oreilles ; derrière nous, une lampe vola en éclats. Au-dessus de la cheminée, une peinture représentant une scène de tauromachie s'effondra bruyamment contre le carrelage.

Del Rio le désarma d'un coup de pied. Je le fis à mon tour rouler au sol, lui enfonçant mon genou dans le dos pour l'immobiliser. À l'aide d'un collier en métal souple, je lui ligotai les mains.

Mon collègue me passa son flingue. Agrippant le dealer par la ceinture de son pantalon et par sa longue crinière blanche, il le traîna sur le sol en marbre. Derrière la piscine intérieure se trouvait une cuisine high-tech en acier inoxydable, d'un goût un peu moins douteux, où Rick et son prisonnier terminèrent leur virée.

— Hé ! Vous faites quoi, bordel ? gémit ce dernier. Arrêtez vos conneries deux minutes.

Parvenu devant la cuisinière, Rick lui plaqua le visage à quelques centimètres du brûleur à gaz.

— Pourquoi t'as buté Shelby ? lui hurla-t-il en pleine face.

— Je ne connais pas de Shelby.

Del Rio tourna le cadran, et les petites flammes bleues apparurent.

— Tu ne sais pas à qui tu as affaire, protesta Perez.

— Toi non plus, rétorqua son agresseur tout en augmentant la flamme.

Les cheveux du dealer crépitèrent et une odeur de brûlé se répandit dans les airs.

— Éteins ça tout de suite ! Éteins, par pitié !

Mon cher collègue le souleva par le col et réitéra sa question.

— Pourquoi t'as tué Shelby ?

— Ce n'est pas moi, mec ! Elle me devait plusieurs milliers de dollars. Quatre, pour être précis. Mais elle allait payer ! C'était une femme bien, je te le dis ! Je l'aimais bien, moi, Shelby. Tout le monde l'adorait.

— Laisse-moi t'expliquer les règles du jeu. Tu continues à mentir et je te colle le nez sur la flamme. Compris ?

Perez avait beau se débattre, Del Rio le tenait fermement. Les flammes chatouillaient la moustache de sa victime. J'étais sur le point de faire cesser le petit jeu lorsque notre homme finit par craquer.

— Écoute, mec, je ne l'ai pas tuée. Mais je sais peut-être qui a fait le coup.

Del Rio le releva pour l'adosser brutalement à la porte.

— Et pas de baratin ou c'est le gril direct !

— Je tiens ça de mes contacts. Celui qui a fait le coup, c'est un pro. Engagé par la mafia.

— Son nom ?

— J'en sais rien, mec ! Comment je le saurais ?

Rick le plaqua à nouveau contre la cuisinière.

— Aaaaaaahhh… hurla Perez. Monkey ! Non, attends, Monty ! Un truc dans le genre.

J'avais déjà été briefé sur les tueurs connus dans la région : Bo Montgomery, alias « Monty », apparaissait en haut de la liste.

— Montgomery ! lâchai-je à voix haute.

— Oui, c'est lui, brailla Perez. Lâche-moi, mec !

Del Rio lui rendit sa liberté.

— Et pas de blagues ! le prévint-il. Ou on reviendra te rendre visite. Et je suis du genre à tenir mes promesses. C'est moi qui te le dis, *mec* !

79

Nous sortîmes de cette maison grisés : nous tenions enfin une piste, une vraie. D'ici jusqu'au haras du tueur sur Agoura Hills, à l'est de Malibu, le trajet prendrait une petite demi-heure.

Une route en terre bordée d'arbres marqués de la mention « propriété privée » courait à travers les grandes herbes brunes. Puis la piste bifurquait derrière une grande butte pour continuer tout droit en direction d'une ferme dont la façade en bardeaux, sous l'effet des intempéries, avait revêtu une teinte blanc argenté.

Derrière elle se trouvaient une grange toute neuve ainsi qu'un enclos. À l'ombre d'un arbre, harcelés par les mouches, une mule et trois mustangs y avaient été attachés. À quelques centaines de mètres de là, un sentier équestre remontait une colline en pente douce.

Del Rio gara la voiture. Un reflet dans l'une des vitres me mit en état d'alerte. J'aperçus alors la forme arrondie d'une caméra Avigilon 16 mégapixels sous la gouttière. J'avais sérieusement envisagé de m'en procurer une pour l'installer chez moi : elle permettait de filmer en grand angle et haute résolution, couleur ou infrarouge.

Les gonds de la porte d'entrée grincèrent lorsqu'un homme fit son apparition, muni d'un AK-47 et d'un chien visiblement féroce. Sa silhouette était efflanquée et son physique assez quelconque, ce qui devait grandement l'aider dans son métier. Le chien avait une tête de la taille d'une pastèque. Il grogna de plus belle lorsque nous descendîmes du véhicule.

Ce mec possédait un tableau de chasse des plus impressionnants. Il pouvait nous réduire à l'état de passoire en un éclair. Difficile dans ces conditions d'oublier qu'à mes côtés se tenait un gusse à la gâchette pour le moins facile. Del Rio avait beau ne pas faire le poids face à Monty, ce n'était pas le genre de détail qui l'arrêterait. Je sentis la sueur perler au-dessus de ma lèvre supérieure.

— Que voulez-vous ? demanda le tueur d'une voix haut perchée, presque enfantine.

— Jack Morgan, de Private. Je travaille pour le mari de Shelby Cushman. Nous n'avons rien contre vous. Nous aimerions juste savoir qui voulait la mort de Shelby.

— On m'a déjà parlé de vous, Morgan. Et je ne connais pas de Cushman.

— Si le meurtre de Shelby avait quelque chose de personnel, s'il s'agissait d'un message à l'intention de notre client, nous avons besoin d'en savoir plus.

— Je répète : je ne connais personne du nom de Cushman, rétorqua Monty entre ses dents. Si je savais que votre Shelby faisait une sieste tous les jours à 4 heures de l'après-midi, ça n'aurait rien de personnel pour autant. Et je n'envoie pas de messages. Maintenant, allez-y doucement en faisant marche arrière, vous risquez d'effrayer les chevaux.

— Merci, Monty. Vous êtes un vrai pro.

Nous remontâmes dans la voiture. Je pris le volant et entrepris ma marche arrière tout en douceur. Sur la piste, un nuage de poussière se souleva derrière nous.

80

J'avais bossé sans relâche sur l'affaire des lycéennes et venais tout juste de m'endormir lorsque le vibreur du téléphone résonna. Mon cœur battait à tout rompre.

— Pas encore ! hurlai-je à mon interlocuteur sans lui laisser le temps de s'exprimer.

Quel enfoiré. J'étais à deux doigts de tout comprendre. Quels secrets me réservait encore cet hélicoptère en Afghanistan ?

Ma tête retomba sur l'oreiller. Le rêve restait vivace, un peu comme un film projeté sur la surface blanche du plafond. Debout sur la rampe du CH-46, j'entendis l'artillerie balancer du calibre .50 tandis que l'appareil s'embrasait. Les hurlements résonnaient dans mes oreilles.

Danny Young gisait dans l'obscurité, allongé sur le dos. Sa combinaison baignait dans le sang, à tel point que je ne distinguais plus les impacts des balles.

Je l'appelai par son prénom. Tout s'arrêta. Un bourdonnement envahit mon cerveau, comme de la friture, et les images disparurent d'un seul coup. En dépit de tous mes efforts, je ne voyais plus rien. Que s'était-il passé ? Il manquait toujours une séquence de plusieurs secondes.

Le film reprit. En rêve, comme dans la réalité, j'avais tiré Danny hors de l'hélicoptère avant de m'élancer à travers le champ de bataille en pleine effervescence. Je l'avais déposé en lieu sûr. Et ensuite ?

Ensuite, je me retrouvais allongé sur le dos, le cadavre de Danny à quelques mètres de moi. J'étais mort, et j'étais revenu. Grâce à Del Rio.

Je mis un oreiller devant mes yeux. Dans le confort du lit, d'autres images de Danny me revinrent.

Il venait d'une petite ville du Texas où il travaillait comme producteur de lait, profession qu'exerçaient déjà son père et son grand-père avant lui. Il avait rejoint les marines en premier lieu par sens du devoir. Il y avait également vu une occasion d'échapper à sa ferme, tout comme j'y avais vu une occasion d'échapper à mon père.

Ce gamin possédait une candeur, une ingénuité si désarmante qu'il semblait difficile de résister à son charme. Son innocence ne l'empêchait pas pour autant de témoigner d'une grande sensibilité.

Nous ne nous connaissions que depuis six mois lorsqu'il mourut. Del Rio mis à part, il avait été le seul de tout l'escadron à qui je pouvais parler. Le seul à ne pas me considérer comme un privilégié, à m'accepter tel que j'étais.

Je revis la femme de Danny, Sheila, à qui j'avais rendu visite à mon retour d'Afghanistan, avec ses yeux gris, ses cheveux blond vénitien. Dans leur petit salon plongé dans la pénombre, un drap noir recouvrait le miroir ; le mobilier, d'apparence modeste, donnait l'impression de n'avoir jamais servi.

Je lui avais raconté que j'étais avec Danny au moment de sa mort, expliquant qu'il avait perdu connaissance et n'avait pas souffert. Que c'était un homme courageux. Que nous l'aimions tous beaucoup. La stricte vérité, en fait.

Sheila tenait son ventre tout rond entre ses mains. Les larmes coulaient le long de son visage.

— Nous allons avoir une deuxième fille, avait-elle déclaré.

Mon esprit se vida à nouveau. Il y avait un trou, un vide. De quoi s'agissait-il ? Quel était donc ce détail qui m'échappait ?

Dans ma main, cette saleté de téléphone se mit à vibrer à nouveau.

81

L'écran affichait : 7:04 – Appel entrant : T. Morgan.

— C'est toi qui viens d'appeler, il y a une minute ? demandai-je à mon frère en décrochant.

— Non, je t'ai appelé hier soir. Tu n'as pas eu mon message ? Mon psy voudrait nous voir tous les deux. Ce matin, à 9 heures.

— Aujourd'hui ? Tu rigoles ou quoi ? J'ai une entreprise à gérer, je ne sais pas si tu es au courant.

— Évidemment que je suis au courant. Même que c'était l'entreprise de Tommy Senior autrefois. C'est important, cet entretien, mais bon, c'est toi qui vois, hein.

Je me tenais à présent dans l'une des salles d'attente du centre Blue Skies, une pièce en forme de cocon, dénuée de fenêtres, avec mobilier scandinave et fresque murale en céramique représentant des oiseaux en plein vol.

Le fait d'avoir été prévenu une heure avant le rendez-vous me mettait bien sûr hors de moi, mais il n'était pas question de donner à Tommy l'occasion de rater sa cure de réadaptation. Avec un peu de chance, je serais de retour au bureau d'ici 10 h 30. L'affaire des lycéennes semblait en pleine ébullition, de même que celle de la NFL.

Je me joignis à une téléconférence avec notre bureau de Londres avant de me déconnecter lorsque l'une des nombreuses portes s'ouvrit et qu'un homme s'approcha de moi. Grand et maigre, le cheveu gris, il portait un cardigan jaune et un pantalon bouffant bien repassé. Une paire de lunettes de lecture pendait au bout d'une chaîne à son cou.

Il souriait. Lorsque je me levai pour lui serrer la main, il bascula et s'effondra au sol. Tout à coup, la pièce tout entière se renversa de côté. Je me rattrapai tant bien que mal à mon fauteuil.

Nom de Dieu !

Les lampes au plafond se balançaient et les ombres chaviraient sur la moquette. Un rugissement se fit entendre, comme une formidable bourrasque – à ceci près qu'il n'y avait pas le moindre souffle de vent.

Le sol, agité de remous, paraissait liquide. Le fauteuil, dont j'agrippais désespérément les bras, se cabra comme s'il cherchait à me repousser.

L'homme au cardigan jaune tenait sa nuque entre ses mains. La fresque se fendit en plein milieu et une salve de fleurs rouges jaillit d'un vase comme autant de roquettes. Le verre vola en éclats, et les lumières s'éteignirent.

Les gens couraient dans tous les sens, emplissant l'obscurité de leurs cris perçants.

Je m'accrochai de plus belle. Paralysé de stupeur, je sentis la terreur me lacérer les entrailles à la manière d'un câble électrique arraché par la tempête. Autour de moi, la pièce se remit à tourbillonner, et voilà que j'étais de retour là-bas. L'hélicoptère tournoyait comme un derviche en plein ciel avant de se crasher au sol. Je restai impuissant face à la catastrophe et à tous les morts qu'elle venait de causer.

82

Le monstrueux molosse qui secouait le bâtiment comme une poupée en chiffon n'était autre qu'un tremblement de terre. Dans la pénombre, avec le sol qui se liquéfiait sous mes pieds, les événements survenus cinq ans auparavant m'arrachèrent au moment présent.

Je me retrouvai dans le cockpit du CH-46 au moment où le missile sol-air nous touchait en pleine soute, explosant la boîte de transmission arrière. Le vacarme se répandit en cabine, véritable apocalypse hurlante et vrombissante.

La chute me cloua sur le côté gauche de mon siège. Je réduisis les moteurs pour atténuer le violent effet de rotation ; la gravité, elle, était inévitable.

M'accrochant fermement au manche cyclique, les épaules pratiquement déboîtées de leurs articulations, je m'efforçai de maintenir l'hélicoptère en équilibre.

Mon unique préoccupation : atterrir en un seul morceau. La machine semblait pourtant en avoir décidé autrement. Mes lunettes infrarouges découpaient la réalité en deux sillons bien distincts : les motifs au sol, verts et noirs, irréels et abstraits, montèrent à une vitesse vertigineuse pour nous frapper de plein fouet.

Le train d'atterrissage s'enfonça à l'intérieur du poste de pilotage sous mes pieds. Le choc fut terrible, effroyable, mais l'appareil resta intact.

Je me détachai pour attraper Rick par l'épaule.

— Putain d'atterrissage mouvementé, commenta-t-il en m'agrippant le bras.

L'artilleur et le chef de bord disparurent par la sortie derrière nous. Rick les suivit bientôt dans la nuit.

J'aurais pu sortir par le côté, mais il faut croire que j'optai plutôt pour la rampe d'embarquement, puisque mon souvenir suivant me plaçait face à la cabine à moitié arrachée par la bombe. Des corps de marines morts jonchaient le sol.

Une véritable scène d'horreur, bien réelle.

Les seize hommes qui, au moment de décoller, vingt minutes plus tôt, s'envoyaient encore des vannes à la figure, ne formaient plus qu'un tas de chairs sanguinolentes dans un coin de l'appareil.

Danny Young gisait dans une mare de sang en bas de la rampe. Je tentai de prendre son pouls, mais rien à faire : je tremblais et mes mains étaient trop engourdies. Je l'appelai par son prénom. Il ne répondit pas. Je crus voir ses paupières battre ; impossible pourtant de m'en assurer.

Pas à pas, je m'éloignai de l'appareil, traînant Danny par l'épaule. J'entendis une voix derrière moi : en me retournant, je vis le caporal Jeffrey Albert étendu à l'arrière de la cabine, retenu prisonnier par le tas de cadavres. Il hurlait de douleur.

Le feu avait pris au niveau du cockpit. Avec l'incendie, ma vision à travers les lunettes infrarouges se réduisit.

Jeff Albert se contorsionna pour m'apercevoir. Je fis un calcul rapide : il se trouvait cloué au sol, les jambes cassées, les os transperçant sa combinaison de vol. Je ne pouvais pas le sortir de là tout seul.

— Tirez-moi d'ici, capitaine, hurla-t-il. Je ne veux pas crever dans les flammes !

— Je reviens tout de suite. Avec de l'aide.

— Il est mort, capitaine, reprit-il d'une voix perçante. Danny est mort ! Aidez-moi, je vous en supplie !

83

L'éclairage de la clinique vacilla un instant avant de m'aveugler par son incandescence.

Les murs s'étaient lézardés, des morceaux de verre et de plâtre jonchaient la moquette. Blue Skies et l'Afghanistan se superposèrent devant mes yeux. Les souvenirs se déversaient dans mon cerveau comme un jerrican d'essence en plein désert. Le trou béant dans ma mémoire s'ouvrit à moi. J'y étais. Et puis je n'y étais plus.

Je mourus, avant de revenir à la vie. Pour quelle raison, je l'ignore.

Un poids étouffant me comprima le torse et Del Rio se retrouva à quelques centimètres de moi.

— Jack ! Espèce d'enfoiré…

Il ne savait pas que j'avais laissé Jeff Albert mourir.

Il ne le savait pas, et moi non plus. Dans mon délire, je m'étais vu au comptoir d'un bar, en compagnie de Rick. La vérité m'apparaissait aujourd'hui pour la première fois ; mortifié, je sombrai dans un abîme de remords. J'avais abandonné cet homme. Je lui avais promis de revenir, et je l'avais laissé derrière moi. Je me pris à souhaiter que Rick ne m'ait pas ramené à la vie. J'aurais préféré ne pas avoir survécu.

Une voix résonna dans mes oreilles.

— Jack ! Jack ! Ça va ?

Rick ? Où suis-je ?

Je fixai l'homme aux cheveux gris qui se tenait juste au-dessus de moi. Qui était-ce ? Comment connaissait-il mon nom ?

— Je suis Brendan McGinty, le thérapeute de votre frère. Vous gémissiez. Vous êtes blessé ?

— Non, ça va. C'est juste…

Je me relevai à grand-peine, m'agrippant à la main que me tendait le Dr McGinty. Les gens circulaient tout autour de nous par petits groupes.

— Tout va bien se passer, déclara-t-il d'une voix qui se voulait rassurante. Je vais appeler un médecin pour vous examiner, Jack.

— Non, ça va, je vous assure.

— Tommy, nous allons devoir déplacer notre session, annonça le psy.

— Non, rétorqua celui-ci, on ne déplace rien du tout. Jack a connu l'enfer sur terre, ce n'est pas une petite secousse de rien du tout qui va l'impressionner. Pas vrai, mon Jacko ?

Je n'avais qu'une envie : grimper à bord de ma Lamborghini et appuyer sur le champignon, conduire jusqu'à m'endormir au volant. Je voulais fuir, échapper à la culpabilité et à la douleur que ces souvenirs venaient de réveiller. J'avais transporté un ami déjà mort loin d'un hélicoptère en flammes pour en abandonner un autre, bien vivant celui-ci.

— Ça va comme tu veux, hein, frérot ? me relança Tommy. C'est vrai, quoi, t'as fait tout ce trajet… T'es un homme occupé, non ?

Ma stupeur était telle que j'eus le plus grand mal à articuler une réponse cohérente.

— D'accord, allons-y, bredouillai-je.

84

Le monde autour de moi avait perdu sa substance, le présent flottant comme dans un rêve. Mes souvenirs, en revanche, avaient acquis une vivacité bien réelle.

Les sons s'enchevêtraient sans former un tout cohérent : les sirènes stridentes, les consignes des haut-parleurs, la conversation entre Tommy et le Dr McGinty.

La tête courbée, je pénétrai à l'intérieur du cabinet de ce dernier, une pièce étroite dont le parquet était jonché de livres et de tableaux. McGinty ramassa une lampe et l'alluma avant de préciser :

— Jack, on peut remettre ça à une autre fois, vous savez.

— Je vais bien. Vraiment. J'aimerais que nous ayons cette conversation aujourd'hui.

Libérant l'espace au centre de la pièce, nous disposâmes deux fauteuils identiques côte à côte. Tandis que nous nous asseyions et que McGinty se mettait à l'aise dans son siège inclinable, je sentis la présence de Jeff Albert qui m'épiait depuis un coin de la pièce. Une idée folle me traversa l'esprit : était-ce en fait Jeff qui m'appelait tous les jours pour me souhaiter de mourir ?

— Apparemment, déclara mon frère, la Californie ne s'est pas encore détachée du reste du continent.

Nous étions tous deux vêtus de la même façon : jean et chemise blanche. Je portais des chaussures d'été, Tommy des mocassins. Son visage mal rasé arborait un sourire perpétuellement narquois, un peu à la manière du héros de *Mad Men*.

Son arrogance semblait complètement déplacée. Il la tenait de notre père : toute la merde dans laquelle nous avions baigné, enfants, il l'avait gardée en lui.

— Commençons par vous, Jack, lança le psychiatre. Nous espérions que vous pourriez nous apporter un éclairage nouveau sur la personnalité de votre père.

Quand on parle du diable…

— Comment le décririez-vous ? continua-t-il.

Mon père avait beau être mort depuis cinq ans, il restait toujours bien vivant pour moi.

— Cruel, répondis-je sans hésiter. La cruauté constituait son trait de caractère le plus remarquable.

— Mais encore ? s'enquit le médecin avec un léger sourire. Vous pourriez m'en dire un peu plus, Jack ?

— Il y aurait de quoi écrire un roman. Il cognait ma mère en permanence. Il nous opposait l'un à l'autre, Tommy et moi, pour son seul amusement. Du sang et des larmes, voilà ce qu'il lui fallait. Il avait toujours raison sur tout : le sport, la météo, le comportement humain… Dans sa tête, il se voyait comment un vrai petit dieu.

— En somme, résuma le psy avec un hochement de tête, un cas typique de ce que, dans notre jargon un peu technique, nous appelons communément une belle ordure. Tommy, que pensez-vous de votre père ?

— Jack voit les choses à sa manière. Lui aussi, c'est le genre de type qui ne se trompe jamais. Papa essayait juste de nous endurcir. Il ne voulait pas qu'on se fasse avoir, par la suite. Jack n'a jamais reconnu tout ce qu'il a fait pour nous. Il souhaitait qu'on réussisse. Il a encouragé Jack à persévérer dans le football. Et quand il s'est engagé dans les marines, vous ne pouvez pas savoir comme il était fier. Il en avait les yeux qui brillaient chaque fois qu'on mentionnait son héros de fils.

Je gardai les yeux rivés au mur, à quelques centimètres au-dessus du médecin, sans prêter la moindre attention à toutes ces salades. Je distinguais clairement Jeff Albert à travers les lunettes infrarouges. Sur son visage, je lisais la peur et la souffrance, je voyais ses os fracturés qui transperçaient sa combinaison. « Je ne veux pas crever dans les flammes ! », hurlait-il.

— À quoi pensez-vous ? me demanda McGinty.

Les images fusaient comme des balles de calibre .50. J'avais refoulé la vérité pour me protéger. Impossible de me planquer, désormais. Je n'étais pas celui que je semblais être.

— C'était une erreur, répondis-je. Je ne suis pas à ma place, ici. Il faut que je parte.

85

Je me levai de ma chaise et me dirigeai vers la porte. J'avais la main sur la poignée lorsque Tommy m'interpella.

— Écoute, frérot. Je ne sais pas ce qui se passe, mais je pense que tu devrais rester. Prends ma session. Vous êtes d'accord, docteur McGinty ?

— Mais bien sûr, confirma celui-ci. Jack, je vous en prie, asseyez-vous.

Ce démon en moi, je ne voulais pas le laisser s'échapper, il était trop énorme, trop incontrôlable. Comment aurais-je pu révéler à un étranger ce que je m'étais dissimulé à moi-même pendant toutes ces années ? Et devant Tommy, en plus ?

— Vous n'avez rien à craindre de personne ici, Jack, m'assura le médecin.

Il se trompait. Baisser la garde devant Tommy ne constituait pas un acte de courage, mais plutôt un pari insensé aux conséquences potentiellement désastreuses. En même temps, le besoin de me confier se faisait de plus en plus pressant.

— J'étais à la tête d'une mission de transport entre Gardêz et notre base de Kandahar, bredouillai-je. J'avais quatorze marines en cabine derrière moi. Dans la soute d'un CH-46, le bruit d'un tournevis qui tombe suffit à produire un vacarme du tonnerre, alors autant vous dire que lorsque le missile nous a percutés… le bruit… le vacarme du métal au moment de l'explosion…

Dans ma tête se forma l'image des cadavres entassés. Je me forçai à reprendre. Je leur décrivis le crash et ses conséquences : les morts, la vision de mes amis baignant dans le sang à travers les lunettes infrarouges.

— Je portais Danny sur mon épaule, poursuivis-je, un peu à la manière d'un pompier. C'est alors que le caporal Albert s'est réveillé pour me supplier de ne pas le laisser brûler dans l'hélicoptère. Mais il fallait déjà que je dépose Danny en lieu sûr. Albert était à moitié enseveli sous les cadavres. Il avait les jambes déchiquetées. J'avais besoin d'aide pour le tirer de là. Je lui ai promis de revenir.

À bout de souffle, je dus m'interrompre.

— Jack, vous êtes sûr que ça va ?

— Jeff Albert m'a dit que Danny Young était mort.

— Pensez-vous qu'il l'était vraiment ? Comment le caporal Albert l'aurait-il su ?

— Je l'ignore. Il faisait nuit… Danny ne parlait pas… Je ne pouvais pas tâter son pouls parce que j'avais les mains engourdies. Nos consignes étaient les suivantes : on prend quelqu'un avec soi, en commençant par le soldat le plus grièvement blessé parmi ceux qui sont encore en vie. Les morts, on les laisse derrière… Ça semble assez évident. Si Danny était mort, cela signifie que j'ai « sauvé » un mort en laissant un homme en vie périr dans les flammes. J'aurais dû revenir.

Il y eut une longue pause avant que McGinty ne reprenne la parole.

— Pourquoi ne l'avez-vous pas fait ?

— Parce qu'entre-temps, je suis mort.

86

Je n'avais pas pleuré depuis l'âge de cinq ou six ans. Certainement pas à l'enterrement de mon père, en tout cas. Mon désespoir d'avoir laissé mourir Jeff Albert semblait désormais incontrôlable. La tête entre les mains, je laissai libre cours à la douleur.

J'entendis Tommy expliquer au psychiatre qu'un débris m'avait frappé en plein sur mon gilet pare-éclats et que mon cœur avait cessé de battre. Il avait fallu une réanimation cardio-respiratoire pour me ramener à la vie.

Tandis que Tommy parlait, je vis le visage de Del Rio, comme s'il se trouvait dans la pièce avec nous. « Jack ! Espèce d'enfoiré, te voilà de retour ! » l'entendis-je s'esclaffer. L'hélicoptère explosa et une épouvantable vague de chaleur se répandit sur le champ de bataille.

— Vous étiez mort, Jack, déclara le médecin. Comment auriez-vous pu sauver cet homme ?

Mes lèvres s'animèrent, mais aucun son n'en sortit. Je me levai. Tommy fit de même, me prit dans ses bras, et nous nous étreignîmes comme nous ne l'avions pas fait depuis l'enfance. Alors que je me mettais à pleurer, il me réconforta.

Je retrouvais enfin mon frère. Nous avions partagé la même chambre lorsque nos parents nous avaient ramenés de la maternité. Je le connaissais mieux que quiconque, peut-être même mieux que moi-même. En dépit de toute l'animosité qui nous avait séparés, ces dernières années, nous nous aimions, malgré tout. Ce fut un grand moment d'émotion partagée.

Je m'apprêtais à lui dire à quel point cela me faisait du bien de pouvoir me confier à lui, mais il prit la parole en premier.

— Eh bien ! N'est-ce pas formidable ? Et papa qui pensait que tu étais parfait... Il faut croire qu'il se plantait. Tu en es loin.

Tommy m'avait bien eu, et il ne lui restait plus qu'à remuer le couteau dans la plaie.

La colère me submergea immédiatement ; je le repoussai de toutes mes forces, l'envoyant s'effondrer contre une étagère avant qu'il ne retombe lourdement au sol.

— Que voulez-vous savoir de plus, docteur McGinty ? conclus-je. Vous en avez eu assez pour aujourd'hui, non ?

Sur ces mots, je quittai la clinique.

87

Je me sentais vraiment mal, à présent. Mon frère m'avait trahi. Sur l'autoroute 101, c'était à peine si je remarquais la signalisation qui défilait devant mes yeux.

La vitesse créait l'illusion de la fuite pendant que mes pensées tournaient en rond, tels des vautours sous amphétamines. Je pouvais bien m'enfuir, je n'échapperais jamais à la culpabilité. Je savais bien que, d'un point de vue rationnel, je n'avais pas à m'en vouloir. Impossible pourtant de me faire à cette idée.

J'empruntai la sortie sur Carrillo Street, au niveau de Santa Barbara, avant de reprendre la 101, cette fois-ci vers le sud, en direction du centre-ville.

Plaçant mon téléphone dans le réceptacle prévu à cet effet, je composai le numéro de Justine. Le son de sa voix me mit les larmes aux yeux.

— Jack, tu es en route pour le bureau ? J'ai un certain nombre de choses à t'annoncer.

— Tu as le temps de prendre un café avec moi ? J'ai besoin de te parler.

— Euh, d'accord. On se retrouve au Rose Café ? Ne me dis pas que tu as besoin de te confier, Jack !

— Hé, tu sais, tout peut arriver.

— Venant de toi, je n'en suis pas certaine.

Les pauses-café avec Justine m'avaient toujours été bénéfiques. Dans toutes les situations difficiles, elle n'avait jamais manqué à l'appel.

Le Rose Café avait autrefois appartenu à une société gazière, comme en témoignaient ses fenêtres à carreaux multiples et ses poutrelles métalliques. L'établissement comportait sa propre boulangerie ; les tables, chacune de la taille d'une pizza, regorgeaient toujours de monde. Une délicieuse odeur de pancakes pomme-cannelle flottait dans les airs.

Justine m'attendait assise à sa place préférée, tout au fond. Elle portait un fuseau noir et un chemisier crème orné d'un froufrou au niveau du col. Ses cheveux étaient coiffés en queue de cheval, tenus par un nœud du même rose que son rouge à lèvres.

Elle m'adressa un sourire et posa son sac par terre afin de libérer un tabouret.

— Et où étais-tu quand la Terre a éternué ? me demanda-t-elle.

Mon Dieu, comme il faisait bon se retrouver là en compagnie de Justine… Nous avions l'habitude de venir dans cet endroit le dimanche matin pour y lire le journal, et donner des notes aux bodybuilders qui venaient ici en sortant de la salle de gym toute proche. J'y avais souvent vu Arnold, ainsi qu'Oliver Stone, dont les studios se situaient à proximité.

Je commençai par lui parler de ma visite chez Blue Skies, précisant au passage qu'il n'y avait pas eu de problème majeur – ce qui était exact d'un point de vue factuel, mais pas très précis.

Je voulais lui raconter tout le reste, pour qu'elle m'aide à m'en sortir, et j'espérais secrètement qu'elle lise dans mon regard la détresse que je portais en moi.

— Je reviens de Fairfax, m'annonça-t-elle. Je m'étais garée dans ce petit centre commercial, le long d'Olympic. Tu parles d'une plaie…

Elle s'accorda à peine le temps de respirer. Posant sa mallette sur la table, elle en sortit une série d'albums souvenirs ainsi qu'une liste de noms et de numéros de pages.

— Je prie pour que mon intuition soit la bonne, Jack. L'un de ces gamins pourrait bien s'avérer être le tueur. J'ai rendez-vous avec Christine Castiglia juste après. C'est elle qui détient la clé dans cette affaire, j'en suis certaine.

Elle me montra alors une série de photos correspondant à la description que Christine lui avait faite du garçon responsable de l'enlèvement de Wendy Borman. Je m'efforçai de me concentrer, mais mon esprit était accaparé par l'Afghanistan. Je voyais le sang de Danny briller d'une lueur verte à travers les lunettes infrarouges. « Danny Young est mort ! » hurlait Jeff Albert.

— Tu es sûr que ça va ? me demanda finalement Justine. Comment se porte Tommy ? Il s'est passé quelque chose, n'est-ce pas ?

— Il va bien. C'est juste que…

Je sentis les couleurs me monter au visage. Je poursuivis malgré tout.

— Certains souvenirs de la guerre me sont revenus. Je voulais t'en parler.

Elle referma ses documents et regarda sa montre.

— Zut. Il faut que j'y aille. J'ai rendez-vous avec Christine sur Melrose dans vingt minutes. Si je n'y suis pas pile à l'heure, elle risque de filer. J'ai une idée : pourquoi tu ne m'accompagnerais pas ? On pourrait en discuter dans la voiture.

— Non, vas-y. Ça peut attendre. Honnêtement. Tommy se porte bien, je me porte bien.

Elle referma sa mallette, ramassa son sac à main, se leva et posa sa main sur mon épaule. Nos regards se croisèrent. L'espace d'un instant, je crus qu'elle allait m'embrasser, mais il n'en fut rien.

— Souhaite-moi bonne chance, me dit-elle. Je vais en avoir besoin avec cette fille.

— Bonne chance.

Elle partit en me promettant de remettre ça plus tard. À travers les carreaux de la vitre, je l'observai rejoindre sa voiture et m'abandonner à ma solitude.

C'est tout ce que tu mérites, Jack.

88

Cela faisait plusieurs jours que Justine oscillait entre l'optimisme le plus échevelé et le désespoir le plus total. À en croire les e-mails que Mo et Doc avaient repêchés sur l'ordinateur de Jason Pilser, les *Street Freeks* s'apprêtaient à frapper dans trois jours exactement. Il fallait les arrêter, coûte que coûte.

Elle imaginait déjà leur cible : une fille trop naïve ou peut-être trop sûre d'elle pour refuser un rendez-vous à l'improviste. Un rendez-vous qui lui serait fatal.

La *profiler* en avait mal au crâne rien que d'y penser. Elle se savait à deux doigts d'attraper ces salauds, mais le risque d'échouer n'en demeurait pas moins important. D'un autre côté, il y avait de bonnes raisons de penser que Christine Castiglia allait leur permettre d'identifier les tueurs et d'anticiper le meurtre de lundi soir.

Elle se gara sur Melrose, en face de Fairfax Highschool. Elle avait dix minutes d'avance sur son rendez-vous, fixé à midi pile. Avec la circulation, la qualité de l'air laissait à désirer. Elle augmenta le niveau de la clim, sortit son BlackBerry de son sac et le posa sur la boîte à gants.

Elle scruta la rue autour d'elle. Des marches du lycée jusqu'aux trottoirs avoisinants, les élèves s'égrenaient par petits groupes.

Pas de Christine en vue.

Lorsque arriva midi, une idée peu encourageante germa dans l'esprit de Justine. Christine était passée outre l'autorité de sa mère en acceptant ce rendez-vous, mais, passé cet élan de courage, elle avait très bien pu changer d'avis. Ou peut-être lui était-il arrivé malheur…

Vers midi et quart, Justine commença à se décourager.

À midi et demi, elle téléphona chez Private pour vérifier ses messages. Aucun n'était de Christine. La migraine gagna tous les lobes de son cerveau.

Elle aurait voulu pouvoir discuter avec Jack, tout en identifiant parfaitement le danger de le voir en dehors du bureau. Tous les sentiments qu'elle gardait enfouis en elle s'étaient réveillés lors de leur rencontre au Rose Café. En repensant à ce qu'ils avaient représenté l'un pour l'autre, elle ressentait une certaine mélancolie.

Ils s'étaient montrés tellement stupides par le passé… De son côté, elle avait cru qu'elle parviendrait à le faire sortir de sa coquille, recherchant une plus grande proximité, alors que lui voulait maintenir une certaine distance.

Elle lui avait offert une tasse décorée d'un visage souriant sur laquelle on pouvait lire : « Je vais bien, je t'assure. Et toi ? » Jack l'avait pris avec humour, mais son comportement n'avait pas changé pour autant. Il ne voyait pas en quoi le fait de s'ouvrir aux autres pouvait lui faire du bien. Il n'en ressentait pas le besoin. Il était beau comme un dieu, et il en avait conscience. En sa présence, les femmes se montraient particulièrement attentionnées, le flattaient et lui donnaient leur numéro de téléphone en se passant les mains dans les cheveux. Il ne faisait pourtant pas grand cas de son apparence physique. Sans doute parce qu'il n'en avait jamais ressenti le besoin.

Leurs disputes de couple avaient donné lieu à des réconciliations aussi récurrentes que spectaculaires. Lors de leur troisième ou quatrième rupture, Jack en avait profité pour coucher avec une actrice. Du coup, elle lui avait rendu la pareille au cours d'une nuit torride avec Bobby Petino, et Jack n'avait pas manqué de le découvrir. Comment aurait-il pu en être autrement ? Il connaissait les secrets de tout le monde.

Il y avait bien eu un dernier rabibochage après cela, mais avec toutes les blessures qu'ils s'étaient mutuellement infligées, leur relation ne pouvait que s'étioler. Leur séparation remontait maintenant à deux ans, et l'idée de se remettre ensemble s'accompagnait nécessairement d'un certain fatalisme…

Un petit coup contre la vitre la tira de sa rêverie.

Christine Castiglia, pâle dans son sweat à capuche noir, jeta quelques regards nerveux de part et d'autre avant de monter à bord.

— Madame Smith, j'ai une idée, annonça-t-elle. Nous devrions aller dans ce petit restaurant où j'ai vu ces deux garçons.

Justine la regarda en souriant. L'espoir venait de déployer ses larges ailes pour reprendre son envol.

— Excellente idée, confirma-t-elle.

89

Était-ce donc là que tout avait commencé ? Toute cette série de meurtres ?

Becki's House of Pie n'était qu'une affreuse petite cafétéria au coin de Hyperion et Ettrick. Une odeur de café et de désinfectant flottait dans l'air ; au-dessus du comptoir se trouvait une horloge électrique dont les battements réguliers égrenaient le silence.

Justine se demanda ce que les tueurs faisaient à cet instant précis.

— Voilà où nous étions assises, déclara Christine en pointant du doigt une banquette en vinyle rouge et une table usée par plusieurs milliers de menus express.

Tout du long, une fenêtre panoramique offrait une vue imprenable sur les embouteillages qui encombraient Hyperion. Un gros lard sur une moto grilla un feu orange en pétaradant bruyamment.

— J'étais assise à cette place, continua-t-elle. Ma mère à celle-ci. Je revois encore la scène.

Avec son épaisse chevelure grise, la serveuse donnait l'impression de travailler ici depuis des décennies. Elle portait par-dessus sa robe de velours bleu un tablier orné d'un insigne sur lequel on pouvait lire le nom « Becki ».

Justine commanda un café noir, et Christine une salade de thon.

— Pour être honnête, précisa cette dernière, au cas où je ne serais pas sûre à cent pour cent, j'aimerais autant ne pas prendre le risque de mettre quelqu'un dans l'embarras.

— Ne vous en faites pas, votre seule parole ne peut nuire à personne. Nous allons devoir effectuer des recoupements. Ça ne se fait pas à la légère d'accuser quelqu'un de meurtre.

— Le van s'est arrêté en plein milieu, expliqua la jeune fille en désignant la rue perpendiculaire à Hyperion. J'ai à peine eu le temps de détourner le regard pendant une demi-seconde que vlan ! ils embarquaient cette fille à bord.

— Pourriez-vous regarder ces photos ?

— Bien sûr. Si ça peut vous aider…

Justine sortit les trois lourds albums de sa mallette, glissa la pile devant son interlocutrice et, sirotant son café, attendit que celle-ci les passe en revue. Un à un, la jeune fille scruta les portraits, les photos de classes et tous les clichés plus informels. Une page en particulier retint son attention. Soudain, elle planta son doigt sur un garçon au milieu d'une rangée de neuf ou dix autres adolescents des deux sexes.

— C'est lui, s'exclama-t-elle.

Justine l'observa à son tour, releva l'année et la classe et se reporta aux portraits individuels de 2006.

Le garçon que lui avait désigné Christine avait les cheveux bruns, un nez que l'on pouvait effectivement décrire comme « pointu » et des oreilles plutôt décollées.

La *profiler* se sentit comme électrifiée. Fallait-il réellement se fier aux souvenirs de cette fille ? Essayait-elle simplement, comme le sous-entendait sa mère, de lui faire plaisir ?

— Christine, il faisait nuit, n'est-ce pas ? Le van ne s'est arrêté qu'une minute et ces deux garçons n'ont cessé de bouger. Vous êtes sûre de vous ?

— Je m'inquiétais de ne pas être capable de le reconnaître, admit-elle, saisissant instantanément le problème soulevé par Justine. Mais je sais maintenant que je n'oublierai jamais son visage. Je suis sûre que c'est lui.

— D'accord. Beau travail. Ce visage a désormais un nom : Rudolph Crocker.

90

Au début, Justine s'était opposée à l'idée de Doc d'installer un tableau de bord high-tech dans sa Jaguar. Esthétiquement, le design de la voiture en pâtirait, et elle craignait de ne plus avoir un moment à elle.

Doc avait cependant fini par gagner, et, aujourd'hui, Justine le remerciait silencieusement. Le petit ordinateur, avec son écran tactile de sept pouces, lui offrait un accès permanent au réseau international de Private et à toutes les banques de données criminalistiques disponibles. Il permettait également de détecter les obstacles à l'arrière du véhicule et de contrôler en temps réel l'état du moteur. Et il pouvait lire des CD.

Elle entra le nom de Rudolph Crocker dans le moteur de recherche, et la liste des résultats ne se fit guère attendre. Il y avait des Rudolph Crocker dans tous les États et dans toutes les professions imaginables : docteurs, avocats, nettoyeurs de piscines, hommes à tout faire et même un mannequin pour une marque de sous-vêtements, à Chicago.

Aucun d'entre eux ne disposait d'un casier judiciaire. Trois Rudolph Crocker étaient répertoriés à Los Angeles et sa banlieue.

Le premier, né dans la Sun Valley en 1956, avait exercé la profession d'enseignant à Santa Cruz jusqu'en 2007.

Le second travaillait comme analyste financier au sein d'une société de courtage du nom de Wilshire Pacific Partners.

Justine rechercha le site de l'entreprise. Dans l'onglet « Qui sommes-nous ? », elle parcourut la liste du personnel, qui comportait des petites biographies ainsi que des portraits cliquables.

Rudolph se trouvait en troisième position sur la liste. Elle scruta la petite image pour s'assurer que ce portrait impeccablement professionnel correspondait bien au garçon sur la photo de promo. Aucun doute possible : il s'agissait bien du Crocker qui était sorti de Gateway en 2006.

Sa bio indiquait qu'il avait obtenu un diplôme d'économie à Berkeley avant d'être embauché par Wilshire Pacific en 2010. La série de meurtres dans l'est de Los Angeles avait précisément débuté cette année-là.

Justine appela le bureau. Doc, Mo et Jack étaient tous les trois sur messagerie. Tout le monde bossait d'arrache-pied : les deux premiers se concentraient sur la partie informatique de l'affaire, tandis que Jack, Cruz et Del Rio s'occupaient de la NFL et du meurtre de Shelby Cushman.

C'était elle qui avait établi le lien avec Wendy Borman, et c'était donc à elle que revenait cette partie de l'enquête. Doc avait bien identifié deux échantillons d'ADN correspondant à deux individus de sexe masculin, mais aucune correspondance n'avait été trouvée dans la base de données. Justine allait donc devoir trouver elle-même l'ADN de Crocker pour pouvoir le comparer.

Il lui faudrait travailler seule.

À moins que…

Une idée se mit à germer : elle connaissait une personne parfaitement au fait des dernières évolutions, quelqu'un qui semblait aussi déterminé qu'elle à coffrer ce tueur. Mais cette personne nourrissait à son égard une haine sans limites.

91

Le lieutenant Garcia travaillait à la brigade des homicides depuis cinq ans, et tout le monde s'accordait sur son intégrité. Elle aurait pu connaître une carrière fulgurante si sa franchise vis-à-vis de ses supérieurs ne l'avait quelque peu handicapée. Ses problèmes de poids ne lui facilitaient évidemment pas la tâche, tout particulièrement ici, à Los Angeles.

Bobby Petino avait en revanche beaucoup d'estime pour elle. Il lui apportait volontiers son soutien auprès du commissaire Fescoe, ce qui avait valu à la policière d'hériter de l'affaire des lycéennes et de dépendre directement du district attorney.

Justine savait pertinemment que Garcia avait retourné l'affaire dans tous les sens depuis l'assassinat de Kayla Brooks par strangulation en 2010, et que sa frustration devait au moins égaler la sienne, cette enquête constituant sa priorité numéro un.

Après s'être garée sur Martel, une ruelle étroite dans l'ouest d'Hollywood, la *profiler* parcourut les quelques mètres qui la séparaient de Rikki Garcia. Allongée sur le dos, celle-ci se trouvait occupée à examiner le dessous d'un vieux pick-up Ford.

— Hé, Rikki, c'est moi !

— Manquait plus que ça ! grogna Garcia.

Un couteau dans sa main gantée, elle émergea de sous la voiture pour donner ses instructions à un policier proche d'elle.

— Edison, tu me mets ça sous plastique avec une étiquette et tu envoies le tout au labo.

— Oui, lieutenant, tout de suite, lieutenant !

Puis elle retira ses gants en latex et toisa sa visiteuse.

— De quoi s'agit-il ? reprit-elle. On me dit qu'entre Bobby et toi, il y a comme de l'eau dans le gaz, et je suis la dernière à l'apprendre ? Alors, je me pose la question : tu travailles encore sur l'affaire des lycéennes ?

— Private est sous contrat avec la ville. On ne touche pas le moindre centime dans cette histoire.

Justine s'attendit à une nouvelle boutade, en vain.

— Ta climatisation, elle marche ? demanda plutôt Garcia, le poing sur la hanche.

Quelques instants plus tard, assise dans la Jaguar avec l'air conditionné à fond, elle écoutait Justine la briefer sur ses dernières découvertes.

— En 2006, Christine Castiglia a vu une fille qui ressemblait à Wendy Borman se faire kidnapper par deux garçons à bord d'un van noir. Il y a une heure, elle en a identifié un. Il se pourrait que Wendy ait été leur première victime.

— Je me souviens de cette Christine Castiglia. Elle devait avoir onze ans, à l'époque. Sa mère a tout fait pour nous tenir à distance. Tu lui fais confiance, cinq ans plus tard, pour identifier l'un des suspects ?

— Pas entièrement, non. Nous avons fait des tests ADN sur les vêtements de Borman. On a pu identifier deux sources, de sexe masculin. Mais pas de correspondance dans la base de données, bien sûr.

— Et donc ? Qu'attends-tu de moi ? J'avoue que je ne vois pas.

— Nous avons des raisons de penser qu'un nouveau meurtre aura lieu dans trois jours.

— Vraiment ? Mais tu ne peux pas me dire d'où tu tiens cette info, bien sûr. Je réitère ma question : qu'attends-tu de moi ?

— Christine Castiglia a aperçu un logo « Gateway » à l'arrière du van.

Justine pianota sur son ordinateur de bord et fit apparaître la photo de son suspect numéro un.

— Voici le type que Christine a identifié, continua-t-elle. Il s'appelle Rudolph Crocker. Il a fait ses études à Gateway en 2006. Il a maintenant un poste important dans une société de courtage. Christine est sûre qu'il s'agit du type qu'elle a vu.

— Et donc ?

— Donc, j'ai un suspect d'un côté, expliqua Justine en brandissant sa main droite. Et, de l'autre, j'ai un échantillon d'ADN.

Elle leva son autre main.

— Si nous sommes en mesure de réunir cette main-là avec celle-ci, conclut-elle, nous aurons de quoi mettre un psychopathe sanguinaire hors d'état de nuire.

— En supposant que je sois partante, il faut que je sois mise au courant de tous les détails. Plus question de me sortir des conneries du genre « nous avons des raisons de penser que… ». Tu me caches quoi que ce soit, et je te lâche.

— Bien entendu.

— Et je ne suis pas sous tes ordres.

— Bien sûr que non. Et tu peux ramener n'importe lequel de tes collègues sans me demander la permission.

— Ouais, rétorqua Rikki avec un grand sourire. J'aime autant te dire qu'ils ne vont pas me rater, les collègues, quand ils apprendront ça. Avec toutes les saloperies que j'ai sorties sur toi…

— Marché conclu ?

— Marché conclu. Allez, tope là.

— Tu vas voir, on va faire une super équipe.

— Ne nous avançons pas trop. Déjà, on ne peut toujours pas dire que je t'apprécie particulièrement.

— Oh, ça viendra, ne t'inquiète pas, plaisanta Justine.

92

Je me trouvais coincé dans les embouteillages sur Pico lorsque je reçus un appel de Mo.

— Il y a cinq minutes, nos amis de l'hôtel Marriott, près de l'aéroport, ont téléphoné à une usine d'embouteillage dans le Nevada, à Reno, pour réclamer une donation à une œuvre de charité destinée aux veuves de guerre, m'annonça-t-elle avec une fébrilité qui trahissait son enthousiasme. Il se trouve que l'usine appartient à un certain Anthony Marzullo. Tu es content, Jack ?

— Bien joué, Mo. Excellente nouvelle. Mais tu sais ce qui m'intéresse vraiment, n'est-ce pas ?

— L'argent, sonnant et trébuchant, qui circule de main en main ? Après le coup de fil au Nevada, Victor Spano a appelé Kenny Owens sur son portable. Ils se retrouvent au Beverly Hills Hotel à 17 heures.

Mo avait mis sur écoute les portables de Kenny Owens et de Lance Richter depuis leur arrivée à Los Angeles pour le grand match du lendemain. Nous savions déjà que ces tricheurs professionnels attendaient des Titans qu'ils écrasent les Raiders par trois *touchdowns*. Nous savions également que si les deux arbitres réussissaient leur coup, s'ils parvenaient à préserver une marge de dix-sept points, plusieurs millions de dollars de paris illégaux passeraient dans les poches des Marzullo.

Mais Fred et ses associés ne se contenteraient pas de quelques soupçons. Il leur fallait des preuves.

J'appelai immédiatement Del Rio, et nous nous retrouvâmes au garage de Private, où j'échangeai ma voiture personnelle pour l'une de nos Honda CR-V, un véhicule noir doté de vitres teintées et de tous les dispositifs électroniques dernier cri.

Nous descendîmes tous deux sur Sunset, où je le déposai devant la porte cochère du Beverly Hills Hotel.

La casquette vissée sur la tête, Del Rio ajusta la caméra qu'il avait dissimulée dans son sac et pénétra à l'intérieur de l'hôtel. Je fis alors demi-tour pour me garer sur Crescent Drive. Derrière un mur en stuc, à une centaine de mètres de là, se dressait un joli pavillon blanc au centre du luxuriant jardin de l'hôtel.

Mon collègue me tenait au courant de ses démarches au moyen de son micro-cravate : il commença par planter ses caméras miniaturisées, la première au niveau de la porte d'entrée du pavillon, l'autre sur le patio, avant de positionner trois yeux de mouche dans l'encadrement des fenêtres de chacune des trois pièces.

Douze longues minutes plus tard, il était de retour à bord de la CR-V et les minicaméras transmettaient en temps réel leurs images sur nos écrans de portables. Il était maintenant 15 h 30.

À l'intérieur du pavillon, seules les colonnes de poussière tournoyaient au soleil. Del Rio avait beau sembler instable de prime abord, je le savais capable de rester assis dix heures de suite sans même se lever pour aller pisser. Je souffrais toujours du traumatisme lié au tremblement de terre et aux souvenirs qu'il avait fait resurgir. Au bout d'une demi-heure à contempler le vide, je me sentais à deux doigts d'exploser : il fallait que je parle.

— Tu as examiné Danny Young quand je l'ai sorti de l'hélicoptère, Rick ?

— Hein ? Euh… oui. Pourquoi ?

D'une voix éteinte, avec toute l'éloquence d'un mort-vivant, je lui racontai ma matinée. J'allai droit au but : Del Rio savait de quoi je parlais.

— Donc, si je comprends bien, m'interrompit-il, tu es en train de te torturer pour avoir laissé Jeff Albert à l'intérieur du Phrog en essayant de sauver Danny Young ? Et les quatorze autres types ? On s'est pris un missile, Jack. Et tu as réussi à atterrir ! Je me trompe ?

— Tu te souviens de Jeff ?

— Oui. C'était un type bien. Un gamin. Comme nous tous. Toi aussi, tu n'étais encore qu'un gamin.

— Je crois que Danny Young était déjà mort.

Del Rio me dévisagea un instant.

— Le sang de Danny circulait encore quand tu l'as déposé. Il est mort peu après. Jack, l'hélicoptère a explosé. Si tu y étais retourné, non seulement Danny Young et Jeff Albert seraient morts, mais toi aussi. Et personne n'aurait pu te ramener à la vie.

Il avait raison. Le sang de Danny Young éclaboussait encore mes bottes lorsque je l'avais ramené. Il était vivant. *Je l'avais tiré de là vivant.*

Je me sentis revivre pleinement.

Nous restâmes silencieux un long moment. Deux hommes finirent par arriver.

Je reconnus l'un d'entre eux : il s'agissait de Victor Spano. L'autre était petit, vêtu d'un costume très élégant. À l'aide d'une carte d'accès, il ouvrit la porte du pavillon numéro 4.

Je levai les bras au ciel, à la manière d'un arbitre.

— *Touchdown !*

93

Bien que d'une importance capitale, les nouvelles dont je disposais ne seraient pas pour autant faciles à annoncer.

Je me garai le long de la villa de mon oncle à Oakland, une immense bâtisse de style italien. Sur la pelouse, le soleil couchant projetait ses ombres filiformes. Laissant ma voiture au bout de l'allée circulaire, j'empruntai le petit sentier jusqu'à la porte d'entrée.

Loïs, la deuxième épouse de Fred, m'ouvrit la porte en compagnie de mon turbulent petit cousin qui se chargea immédiatement de me plaquer au sol. Brian, onze ans, n'avait qu'un seul rêve : rejoindre un jour l'équipe de Californie du Sud.

Je roulai de côté, simulant un gémissement de douleur tandis que le jeune garçon se livrait à une danse triomphale. Jackie, ma petite nièce, se pencha alors vers moi et me caressa la tête comme elle l'aurait fait pour un chien.

— Brian n'est qu'un sale gamin, commenta-t-elle. Tu as vraiment mal, dis ?

Je lui adressai un clin d'œil, lui assurant que j'allais bien. Elle me répondit en me pinçant le nez.

— Tu as dîné, Jack ? me demanda Fred tout en m'aidant à me relever.

— Je ne dirais pas non à un café.

— Tu prendras bien une tranche de gâteau à la banane…

— Avec plaisir.

Il passa son bras autour de mes épaules et me guida jusqu'à la table de la salle à manger, où les deux enfants me bombardèrent de questions sur les tremblements de terre, les vilains types que j'avais coffrés récemment, ou encore la vitesse à laquelle roulait ma voiture.

En temps normal, j'en aurais attrapé un sous chaque bras, direction la salle de télé, pour y regarder un Spiderman ou un Batman. Mais, ce soir-là, un seul détail m'obsédait : le peu de temps qu'il nous restait avant le prochain match.

Discrètement, je fis signe à mon oncle en tapotant ma poche de veste. Il acquiesça.

— Je vais vous piquer Jack quelques minutes, annonça-t-il aux deux monstres.

Il m'escorta jusqu'à son bureau, une magnifique pièce avec revêtement acajou. Une vitrine remplie de trophées trônait au centre ; un écran plat de soixante-huit pouces était accroché au-dessus de la cheminée.

— Je me sers un verre, annonça-t-il.

— Je prendrai la même chose que toi.

Mon oncle me tendit un J&B avec de la glace. Glissant ma clé USB dans son système vidéo, je pris place à côté de lui, ne sachant pas très bien comment il allait réagir aux tristes images que je m'apprêtais à lui montrer.

Sa télé nous offrait en tout cas une superbe définition, idéale pour les images de nos caméras qualité NASA.

Le film commença sur un plan de l'intérieur du pavillon. Une lumière rouge clignotait sur un téléphone. Un homme en costume, dos à la caméra, décrocha le combiné, enfonça quelques touches et écouta son répondeur. Derrière lui, Victor Spano, une Heineken à la main, alluma la télé.

Je passai le reste de la scène en avance rapide jusqu'à ce que l'homme en costume s'approche de l'objectif. Je mis alors la lecture au ralenti pour laisser le temps à Fred de l'identifier.

Il s'agissait d'Anthony Marzullo, parrain de troisième génération de la famille de Chicago du même nom. On frappa à la porte. Il ordonna à son subalterne d'ouvrir.

Deux hommes entrèrent alors : Kenny Owens, simple arbitre puis arbitre de ligue, avec vingt-cinq ans d'expérience derrière lui, ainsi que Lance Richter, jeune juge de ligne qui semblait avoir compris qu'il gagnerait plus gros en trichant.

Mon oncle Fred prit une profonde inspiration avant de laisser échapper un chapelet d'injures particulièrement gratinées.

Après une séance de poignées de mains, les arbitres prirent place face à l'homme qui avait entrepris la tâche jusqu'à présent impensable de pourrir le monde du football professionnel.

— Pas droit à l'erreur, précisa Marzullo, dont le visage étrangement immobile venait de se fendre d'un petit sourire. Voici une avance de vingt pour cent, comme d'habitude. Le reste, vous l'aurez demain soir. Pas plus de dix-sept points, compris ? Si vous devez interrompre le match pour cause de soleil dans les yeux, n'hésitez pas à le faire. Du moment que ça vous permet de freiner leur progression…

— Nous comprenons, et nous avons parfaitement conscience des enjeux, confirma Richter en s'apprêtant à empocher une épaisse liasse de billets de cent.

— Vraiment ? insista Marzullo en interrompant son geste.

— Tout à fait. Tout se passera comme prévu. Aucun problème. Nous ferons ce qu'il faut pour.

Owens tapota l'argent contre sa cuisse avant de le fourrer dans son sac.

J'appuyai sur Stop et me tournai vers mon oncle, qui donnait l'impression d'avoir reçu un ballon en pleine face. Son expression n'était pas sans rappeler celle qu'il arborait lors du procès de mon père : un mélange de honte et de tristesse.

— C'est du lourd, déclarai-je. Ce n'est pas seulement une petite affaire entre un mafioso trop ambitieux et quelques arbitres corrompus. C'est une véritable invasion. Les Marzullo s'attaquent au territoire des Noccia.

— Kenny Owens, je lui aurais donné le bon Dieu sans confession. Je connais sa femme et j'ai déjà vu ses enfants. L'un d'entre eux joue pour l'Ohio State University.

— La vidéo est bonne. Suffisamment bonne pour servir de pièce à conviction.

— J'ai plusieurs coups de fil à passer. Je te rappelle demain matin pour t'annoncer ce que nous aurons décidé. Tu as fait du bon travail, Jack.

— Je suis désolé, oncle Fred. Vraiment navré.

— Moi aussi ! Et demain, ce sera pire.

94

Il était minuit et demi lorsque j'arrivai finalement chez Colleen.

Épuisé par cette journée harassante, je me pris à rêver de sa douce main sur mon front, de son délicieux accent aux inflexions musicales, nos deux corps blottis l'un contre l'autre.

Elle m'ouvrit vêtue d'un corsage et d'une petite culotte enfilée de toute évidence à la dernière minute, les cheveux rassemblés en un vague chignon. Une délicieuse odeur de rose flottait autour d'elle.

— Je suis navrée, monsieur, mais l'auberge est fermée. Vous pouvez essayer celle en bas de la rue.

— Je sais, j'aurais dû appeler.

— Entre, Jack.

Elle se mit sur la pointe des pieds pour m'embrasser. Ses hanches rencontrèrent les miennes.

Effleurant la bosse qui s'était formée dans mon pantalon, elle me prit par la main et me conduisit jusqu'à la chambre à coucher. La lumière de la lune filtrait à travers les rideaux.

— Tu veux regarder la télé, demanda-t-elle en enfilant une paire de talons aiguilles, ou tu as une meilleure idée ?

— Quel est le programme ? plaisantai-je.

Colleen me rendit mon sourire.

95

Mes doigts glissèrent le long de son cou. Lentement, je descendis son corsage jusqu'aux épaules puis m'arrêtai, laissant le désir monter.

Le sourire aux lèvres, Colleen défit ma boucle de ceinture et me déshabilla. Elle me fit asseoir, me retira mes chaussures et mes chaussettes avant de me pousser dans son lit.

— Mon Dieu, comme j'aime ce corps, soupira-t-elle. Seigneur, ayez pitié de moi.

Je ne m'attendais pas exactement à cela en sonnant à sa porte. Voilà pourtant que je me retrouvais, nu comme un ver, à la regarder se déshabiller. Lorsqu'elle détacha son chignon, sa longue chevelure se mit à ondoyer sur ses épaules, noir rideau de soie odorante qui cachait puis révélait sa poitrine.

Je sentis ses cheveux chatouiller mon visage lorsqu'elle se pencha et m'embrassa goulûment avant de se glisser à son tour sous les draps à fleurs. La fraîcheur de sa peau me plongea dans un abîme de délice lorsque son corps glissa le long du mien, avant de s'éloigner et revenir à nouveau.

Mes mains se portèrent sur ses hanches, puis je sentis ses talons piquer le bas de mon dos. Une seconde plus tard, j'étais en elle.

Mon esprit se vida, je n'avais plus sommeil. L'amour que je ressentais à cet instant précis s'accompagna d'une gratitude sans limites. Le plaisir alla en s'intensifiant, et nous atteignîmes tous deux l'extase un quart d'heure plus tard. Je me retirai pour m'allonger à ses côtés.

Alors que la sueur commençait à sécher sur mon corps, de façon tout à fait inattendue, Colleen éclata en sanglots.

Un regret me serra le cœur, puis se dissipa rapidement pour laisser place à une honte mêlée de compassion.

Je la pris dans mes bras et la serrai tendrement tandis qu'elle pleurait silencieusement contre ma poitrine.

— Colleen, qu'y a-t-il ?

Elle secoua la tête.

— Dis-moi ce qu'il y a, chérie... J'ai besoin de savoir. Je suis là, je t'écoute.

Elle se débattit alors pour échapper à mon emprise, se leva, envoyant ses chaussures percuter un coin de mur, et pénétra dans la salle de bains. J'entendis l'eau couler, puis Colleen réapparut, vêtue d'un T-shirt ample qui lui servait de pyjama.

— Je suis vraiment idiote, lâcha-t-elle.

— Parle-moi, je t'en supplie.

Elle s'allongea, les yeux rivés au plafond. Je passai ma main sur son ventre.

— C'est dur, Jack. Ça me rend tellement triste, parfois. Je te vois à minuit, à l'occasion, quand tu as le temps. Je travaille avec toi au bureau. Et entre les deux ?

— Je suis désolé.

Difficile de lui promettre un changement. Nous étions face à un mur, et il fallait que je lui dise la vérité.

— Je n'ai rien d'autre à t'offrir, Colleen. Je ne peux pas m'installer ici. Je ne peux pas t'épouser. On ne peut pas continuer ainsi.

— Tu ne m'aimes pas, Jack ?

— Si, soupirai-je. Mais pas comme tu sembles en avoir besoin.

Elle me prit dans ses bras tandis que je caressais ses cheveux. Tout comme elle, j'avais le cœur brisé. Je me libérai de son étreinte.

— Reste, Jack. Ça va, maintenant. On est dimanche matin. Un nouveau jour se lève.

— Il faut que je rentre dormir un peu. Je travaille, aujourd'hui. Cette histoire avec la NFL est sur le point d'exploser. Mon oncle compte sur moi. Je lui ai donné ma parole.

— Je vois.

Ramassant mes vêtements, je me rhabillai dans l'obscurité. Colleen ne détourna pas le regard du plafond, pas même lorsque je l'embrassai avant de partir.

— Tu n'es pas mauvais, Jack. Tu as toujours été honnête avec moi. Tu es quelqu'un de sincère. Passe une bonne journée.

96

Colleen accaparait toujours mon esprit lorsque, à midi, je me rendis avec Del Rio sur le parking du stade.

Les klaxons braillaient sans répit ; à l'orée des portails d'entrée, les files de motos rugissaient et les supporters de tous âges affluaient, vêtus de T-shirts à la gloire des Raiders, le visage parfois maquillé de noir et d'argent. Les plus motivés s'étaient même déguisés en *Dark Vador* version Raiders. À l'arrière des véhicules, les steaks grillaient déjà et l'alcool coulait à flots.

Avec ce match à domicile, chacun s'était pris à rêver d'un nouvel âge d'or pour son équipe, dont on espérait toujours qu'elle reconquière sa gloire perdue. Quelle que soit par ailleurs l'issue du match, l'occasion de faire la fête était trop belle.

Laissant son véhicule à sa place réservée, Fred s'élança en direction de l'entrée principale. Le cheveu rare mais impeccablement coiffé, il avait enfilé sa veste de sport préférée, son pantalon Dockers et ses chaussures orthopédiques. Il semblait avoir vieilli depuis la semaine dernière, comme s'il venait de perdre un être cher ; ce qui, finalement, n'était peut-être pas éloigné de la réalité.

Lorsqu'il m'entendit l'interpeller, il se dirigea vers nous pour nous serrer la main et nous conduire à travers la foule jusqu'à une porte réservée au personnel.

— Merci d'être venus les gars, nous dit-il avec une petite tape dans le dos. Ça me fait chaud au cœur.

Il tendit son laissez-passer au type de la sécurité, puis nous pénétrâmes à l'intérieur d'un long couloir sombre au bout duquel je pus apercevoir, l'espace d'un bref instant, la lumière verte d'un carré de pelouse entouré de gradins. Mais nous bifurquâmes sur la gauche en direction d'un dédale de pièces interdites au public.

Les portes s'ouvraient et claquaient de toutes parts. Plusieurs employés du stade saluèrent mon oncle, qui leur répondit par un sourire ou un petit signe de la main. À l'idée de ce qui nous attendait dans les minutes à venir, mon estomac se noua.

— C'est le moment d'en finir, Jack, lança-t-il. Ça va être rude, vraiment.

Il enfonça sa clé dans une serrure et s'effaça devant nous.

À ma grande surprise, nos deux autres clients, Evan Newman et David Dix, nous attendaient assis dans le bureau. Deux hommes que je n'avais jamais vus se tenaient dans un canapé, au fond de la pièce. Ils portaient des costumes à rayures noires et blanches, et leur expression n'augurait rien de bon.

Fred me les présenta comme étant Skip Stefero et Marty Matlaga.

— Jack, tu as les photos ? demanda-t-il. Toi et Rick, suivez-moi. Nous revenons dans deux minutes maximum. Dans le cas contraire, forcez la porte !

97

Les arbitres, qui étaient en train de s'habiller, nous dévisagèrent avec surprise.

— Kenny, Lance, il faut qu'on parle, annonça Fred le plus calmement du monde.

Le premier termina de boutonner sa chemise noire et blanche. Il posa le pied sur un banc et commença à lacer ses chaussures.

— Dehors, précisa mon oncle. Tout de suite.

En dépit de son teint hâlé, Lance Richter se mit à pâlir. Les deux hommes nous suivirent néanmoins sans broncher. Nous nous arrêtâmes à une dizaine de mètres de là. Fred prit alors la parole.

— Il n'y a pas de méthode douce. Vous avez le choix entre la méthode dure et la méthode *très* dure.

— Mais de quoi parles-tu ? s'étonna Owens, qui témoignait d'un talent inné pour jouer à l'idiot.

— On a filmé toute votre petite combine merdeuse, bande de pauvres minables. Jack, montre-leur les photos que tu as prises au Beverly Hills.

J'avais imprimé quelques captures d'écran de la rencontre entre Owens, Richter et Anthony Marzullo.

Je sortis les photos d'une enveloppe, les triai et plaçai la plus compromettante au-dessus. Richter se vit alors en compagnie d'Owens, les mains pleines de billets, assis en face du parrain de la mafia de Chicago. Une odeur d'urine me chatouilla les narines : il avait le pantalon trempé.

— Je n'avais pas le choix, bredouilla-t-il. Si je n'avais pas suivi Kenny, il m'aurait viré !

— Pauvre tapette, grogna l'autre.

— Ne te fatigue pas avec tes conneries, Richter, rétorqua Fred. Tes explications minables, tu peux te les garder.

— C'était la première fois. Aie pitié, Fred. On est payé une misère dans ce boulot !

— Ken, je crois que tu n'as pas bien compris. On a toute la scène en vidéo. On peut y entendre Marzullo vous dire : « Voici l'avance de vingt pour cent, comme d'habitude. » Écoute-moi, maintenant. Newman et Dix vous attendent dans mon bureau. Si ça ne tenait qu'à Dix, il vous traînerait tous deux dans le désert pour vous abattre d'une balle dans la tête. Je crois vraiment qu'il le ferait. Newman, lui, a l'intention de se présenter au Sénat, et ça l'arrangerait bien de vous faire arrêter ; cela protégerait en partie la réputation de la NFL, quitte à complètement détruire le jeu. Moi, je vois les choses différemment, et je crois que mes associés me font confiance là-dessus. Voici donc les deux options dont vous disposez. Je vous conseille de m'écouter, c'est dans votre intérêt.

Les deux arbitres ne le lâchaient plus du regard.

— Solution A, continua Fred : vous retournez au vestiaire pour annoncer aux autres qu'on vous a vus dîner avec des joueurs, que vous ne pouvez pas dire lesquels, et que cela constitue une entorse au règlement, avec possibilité de renvoi. Solution B : je diffuse au commissaire de ligue la vidéo que nous avons de vous recevant un pot-de-vin de Marzullo. Résultat : le monde du football tout entier est passé au crible. Et, en premier lieu, les matchs que vous avez arbitrés au cours de votre misérable petite existence. Vous serez alors en état d'arrestation pour association de malfaiteurs. L'histoire fera la une de tous les journaux du pays et restera dans les esprits pour les années à venir. Les Marzullo se verront mis en cause pour manœuvres frauduleuses, et, dans ce cas, je ne donne pas cher de votre vie, que ce soit en prison ou à l'air libre. Cependant, pour être parfaitement honnête, je ne pense pas que votre existence vaille un clou, à l'heure qu'il est. Il vous reste trois heures pour décamper : quand Marzullo s'apercevra que vous n'êtes pas sur le terrain, il lancera ses hommes à vos trousses. Une fois que le match se sera achevé sur un score complètement différent de celui convenu, vous deviendrez de véritables cibles ambulantes. Je ne pense pas qu'on retrouvera jamais vos corps.

Pétrifié, au bord des larmes, Kenny Owens récapitula ce que Fred venait de lui dire.

— Nous avons dîné avec des joueurs, Fred, je ne peux pas dire de qui il s'agit, car ils n'y sont pour rien. C'était idiot de notre part. Les règles sont ce qu'elles sont. Veuillez accepter notre démission.

— Videz votre casier et foutez-moi le camp, déclara Fred. *Et au pas de course !*

Dix minutes plus tard, Fred, Newman et Dix se chargeaient de désigner en toute urgence de nouveaux arbitres. Comme prévu, les Titans écrasèrent les Rai-

98

15 h 50, ce même dimanche, sur Via Marina. Depuis 8 heures du matin, Justine et Rikki attendaient, garées devant l'immeuble en stuc blanc où résidait Rudolph Crocker. Entre les deux femmes, si l'heure n'était toujours pas à la grande amitié, le cessez-le-feu avait jusqu'à présent été respecté.

La petite antenne parabolique à la fenêtre de leur voiture leur avait permis d'écouter en détail les allers-retours aux toilettes de Crocker, qui s'était par la suite assis devant sa télé pour pester contre les différents présentateurs.

Peu avant 14 heures, le suspect avait quitté l'immeuble vêtu d'un short et d'un T-shirt. Pour la première fois, Rikki et Justine purent contempler le visage du jeune homme de vingt-deux ans probablement responsable de la mort de plus d'une douzaine de filles.

— Il n'a rien d'impressionnant, marmonna Rikki.

— Ce n'est qu'un pauvre type. Un minable.

À la mi-journée, Crocker se livra à sa séance de footing quotidienne. À bord de leur Crown Victoria grise, les deux enquêtrices le suivirent à distance, le long d'Admiralty Way.

En rentrant, il fila sous la douche où il leur interpréta avec sincérité un *Unchain my Heart* complètement faux. Il enchaîna sur l'émission économique de CNN puis éteignit la télé. Le silence retomba alors. Il devait travailler sur son ordinateur, ou alors il s'était endormi.

— Il se prépare pour cette putain de Freek Night ou quoi ? s'impatienta Rikki. Je croyais que ce type voulait de l'adrénaline.

— Du calme. S'il se repose, alors reposons-nous aussi.

— Je ne peux pas faire de somme en voiture. Tu peux, toi ?

— Tu l'aimes comment, ton café ? On peut en acheter au coin de la rue. C'est moi qui paye.

Peu après 17 heures, Crocker émergea à nouveau. Il arborait cette fois un élégant blazer bleu, une chemise rose, un pantalon gris et des mocassins visiblement coûteux.

Il avança en direction d'un mini-van Toyota Sienna dernier modèle, garé au bout de Bora Bora. Une fois à bord, il effectua une marche arrière tout en douceur et bifurqua sur Mindanao, pour finalement prendre Lincoln.

Justine avait déjà mené de nombreuses filatures, et elle savait exactement comment procéder. Elle le prit en chasse tout en maintenant une distance suffisante. Au carrefour entre Olympic et Arizona Avenue, elle manqua de le perdre de vue ; appuyant au dernier moment sur le champignon, elle grilla le feu rouge.

— Enfoiré, murmura Garcia. Il nous a repérées ?

— Je n'en sais rien. On ne va pas tarder à être fixées.

Elles suivirent Westwood Boulevard puis s'élancèrent sur Hilgard. Là, Crocker se gara le long d'une allée et laissa les clés du van à un voiturier. Il pénétra ensuite dans le hall d'entrée d'un luxueux hôtel W Starwood.

Le bar, visible à travers sa grande baie vitrée, se situait à l'extrémité nord-ouest du bâtiment.

— Il se dirige vers le Whiskey Blue, expliqua Justine. C'est un lieu de rencontre pour célibataires fortunés. Parfait pour ce que nous avons à y faire.

Elles étaient convenues d'une mission restreinte et précise. Pas question d'arrêter Rudolph Crocker, ni même d'entrer en contact avec lui. Même si l'envie de lui crever les yeux les taraudait, elles resteraient incognito.

Leur unique objectif consistait à récupérer un échantillon de salive ou un minuscule bout de peau morte, voire même un cheveu. Rien de plus. Mais plus facile à dire qu'à faire.

— Alors ? Tu me trouves comment ? demanda Rikki.

— Tu es adorable. Tiens, rajoute un peu de ça, lui conseilla Justine en lui offrant un rouge à lèvres.

Elle surveillait la porte que Rudolph venait de franchir, mais il se trouvait apparemment toujours à l'intérieur.

— Détache tes cheveux, lui recommanda à son tour Rikki. Déboutonne le haut de ton chemisier.

— Allons-y, lança Justine après avoir suivi les instructions de sa collègue. Il est temps de rencontrer le diable !

La policière claqua la porte et montra son insigne au voiturier.

— Notre voiture reste ici, le long du trottoir, lui indiqua-t-elle. Nous sommes en mission.

La *profiler* glissa au gamin un billet de 10 dollars et emboîta le pas à sa collègue, qui montait l'escalier.

— Ah, je vois, plaisanta le voiturier. Vous jouez au bon et au méchant flic.

— Non, s'esclaffa Rikki. Ce soir, c'est plutôt gros et maigre flic !

99

Depuis la dernière visite de Justine, le Whiskey Blue avait subi une rénovation radicale. L'espace consommation se déclinait désormais en une palette de bruns et d'ocres ; les canapés rectangulaires, sous les lumières tamisées, revêtaient des teintes caramel et chocolat. La techno que crachaient les enceintes rendait toute conversation entre adultes impossible.

Cadres dynamiques et jeunes diplômés pleins d'ambition s'y bousculaient pour savourer les dernières heures du week-end et, peut-être, repartir accompagnés. Des filles aux coiffures toutes plus élaborées, au décolleté plongeant, riaient aux plaisanteries de jeunes hommes dont les dents rayaient déjà le parquet. Cheveux noirs, lunettes noires et sourire d'un blanc éclatant semblaient de rigueur.

Justine sentit la pression monter en elle. Elle ne disposait d'aucune autre piste à laquelle se raccrocher. Il fallait que ce Rudolph Crocker soit le bon. Et il se trouvait maintenant à quelques mètres d'elle.

Depuis trop longtemps, elle s'impliquait dans cette affaire comme si les victimes n'étaient autres que ses propres enfants. Deux années de tristesse et de frustration venaient de s'écouler, et les cris de désespoir des parents resteraient à jamais gravés dans son esprit, comme les sillons sur un disque vinyle.

Une tâche difficile mais absolument décisive leur incombait désormais. Si les deux femmes la remplissaient, un tueur de la pire espèce finirait derrière les barreaux. Un certain nombre d'obstacles se dressaient cependant devant elles.

100

Justine lança un regard en direction de son acolyte, et toutes deux se frayèrent un chemin à travers la foule.

Au bar, elle se trouva face à un grand gaillard rougeaud d'une vingtaine d'années, vêtu d'une chemise qui mettait admirablement en valeur son teint.

— Je peux m'asseoir ici ? lui demanda-t-elle.

— Vous prendrez quoi ? répliqua-t-il après l'avoir détaillée de la tête aux pieds.

— Nous sommes deux.

Le type regarda à peine Rikki avant de reporter son regard sur Justine, droit dans les yeux cette fois-ci, et lui adresser un sourire méprisant. Il se poussa pour faire de la place au duo.

— Tu le vois, maintenant ? glissa Justine à l'oreille de Rikki.

— Ouais. Il demande à se faire resservir. Le barman vient de lui prendre son verre.

Ce dernier était un homme d'une trentaine d'années à l'allure athlétique et aux cheveux blonds légèrement dégarnis, qui semblait s'ennuyer ferme. Sa chemise arborait un écusson portant son nom : Buddy.

— Que puis-je vous servir, mesdames ?

— Un pinot *grigio* pour moi, répondit Justine.

— Perrier, compléta Rikki avant d'enchaîner : ne regarde pas tout de suite, mais Crocker a de la compagnie. Un type maigre, les cheveux devant les yeux. Le *geek* dans toute sa splendeur !

— Je n'entends pas ce qu'ils se disent.

— Peu importe. Tant qu'on peut les voir, ça ira.

Le barman leur apporta leurs consommations, que Justine paya avec un billet de 20 dollars, faisant signe à Buddy de garder la monnaie. Il sortit alors un bol de noix d'apéritif qu'il plaça devant elles.

Justine leva les yeux, le temps de regarder Crocker dans le miroir derrière le comptoir : nez pointu et oreilles décollées, conformément à la description donnée par Christine. Le reste semblait trop incroyable. Comment un type en apparence si ordinaire avait-il pu se retrouver à concurrencer les tueurs en série les plus aguerris pour une première place au top des super salopards ?

Le personnel de service apporta une palette de verres propres et le barman enchaîna les commandes. L'ami de Crocker prit une pression, et ils continuèrent à discuter tous deux sans prêter la moindre attention à leur entourage. Au bout d'un moment, le suspect demanda la note, et les deux compères vidèrent les lieux.

Buddy s'avançait pour débarrasser leurs verres lorsque Rikki plaqua bruyamment son insigne sur le comptoir.

— Pas touche ! s'exclama-t-elle. J'en ai besoin. Pièce à conviction.

— Comment ça ? s'étonna le barman. De quoi s'agit-il ?

— Je crois que la jolie fille là-bas demande à être resservie, intervint Justine. Vous devriez vous occuper d'elle.

Elles emballèrent chacun des deux verres dans une serviette en papier, mais ce n'est qu'une fois sorties, assises dans leur Crown Victoria, qu'elles s'autorisèrent un sourire. La détective sortit son téléphone.

— Doc ? Tu peux nous retrouver au labo dans vingt minutes ? Je crois qu'on tient le bon bout.

101

Comme l'aurait dit le joueur de base-ball Yogi Berra, il planait comme un air de déjà-vu. Rick et moi nous trouvions de nouveau à bord du Cessna Skyhawk. Arrivés à l'aéroport de Las Vegas, une voiture de location nous attendait.

Nous traçâmes notre route à travers les terrains constructibles abandonnés après la crise de 2008, jusqu'à nous retrouver face à un mur gris. Derrière s'étendaient quatre hectares de propriété privée.

Nous nous arrêtâmes devant le portail d'entrée de Carmine Noccia. Rick appuya sur l'interphone, on nous répondit, les grilles s'ouvrirent. Nous franchîmes à nouveau cette rivière artificielle, le genre d'aberration qui ne pouvait exister qu'à Las Vegas, ou peut-être à Orlando. En haut de l'allée, derrière les étables éclairées par des spots, se trouvait la fameuse cour avec sa palmeraie de dattiers. Nous nous postâmes devant la porte d'entrée en chêne massif. On se serait cru à Barcelone, voire même au Maroc.

Nous fûmes accueillis par le même sous-fifre, qui avait cette fois-ci troqué sa chemise de soie rouge contre un pull-over noir moulant et un jean en imitation cuir.

Il nous débarrassa de nos armes et les posa dans l'entrée, au-dessus de l'énorme coffre-fort qui se faisait passer pour une armoire maure. Il nous guida ensuite à travers les différentes pièces où résonnaient les claquements des boules colorées et des queues de billard, jusqu'à la salle du trône, le salon de Carmine Noccia.

Cette fois-ci, le maître des lieux ne lisait pas : il avait les yeux rivés sur l'énorme écran, placé au-dessus de la cheminée, qui rediffusait les images du fameux match où les Raiders s'étaient pris une raclée.

Il l'éteignit aussitôt et nous invita à nous asseoir, cette fois encore sans nous avoir serré la main.

J'avais le sang qui battait dans les tempes.

Carmine Noccia et sa « famille » nous avaient mis en garde. Ce n'était pas les raisons de nous détester qui manquaient : j'avais insulté son avocat et tabassé ses sbires lors de mon passage chez Glenda Treat. Et, pour ne rien arranger, j'avais manqué de respect au parrain, son père.

Et voilà maintenant que, pour conclure un pacte, j'étais de retour en compagnie de mon pote au look de garde du corps et au tempérament rugueux. Il fallait un certain culot. J'avais demandé à Rick de la boucler et de rester attentif, bien sagement assis dans le canapé. « Oui, patron » avait-il dit. Il fallait *vraiment* qu'il tienne parole.

Les reflets ondoyants de la piscine derrière les baies vitrées dessinaient des barres bleues sur le visage de notre interlocuteur, dont l'expression semblait impénétrable.

Allait-il me révéler les informations dont j'avais tant besoin ?

— De quoi s'agit-il, Morgan ?

— Vous avez vu le match ?

— Vous appelez ça un match ? Un vrai carnage, vous voulez dire…

— J'aimerais vous montrer quelque chose.

Je lui tendis le paquet de photos que je gardais dans ma poche.

Il les manipula de ses mains parfaitement manucurées, les observant une à une. Ses sourcils se soulevaient de façon quasi imperceptible à mesure qu'il identifiait les différents protagonistes et comprenait ce qui se tramait. Et ce que cela signifiait pour son propre business.

— Si je peux me permettre, comment avez-vous obtenu ces photos ?

— C'est moi qui les ai prises. Ce qui compte, c'est que le match était truqué. Sans notre intervention, inutile de vous dire que les agences de paris auraient morflé ! Et vous vous seriez retrouvé en première ligne. Au lieu de quoi, ce sont les Marzullo qui s'en sont ramassé plein les dents. Cela devrait les calmer pendant un petit moment, au moins en ce qui concerne les paris sportifs. Qu'en pensez-vous ?

Le mafioso posa les photos sur la table entre nous et s'enfonça dans son fauteuil, le regard braqué sur moi. Je ne baissai pas les yeux.

Je m'efforçai d'imaginer ce qui pouvait se tramer dans sa tête. Pensait-il réellement que j'avais accompli un coup aussi énorme juste pour lui ? Avait-il un plan de bataille contre les Marzullo ? Ou cherchait-il tout simplement un moyen d'annoncer à son père qu'ils venaient de frôler une catastrophe qui les aurait écartés de l'un de leurs secteurs d'activités les plus importants ?

Il s'écoula un moment interminable. Derrière les grandes baies vitrées, le temps semblait s'être suspendu sur cette oasis artificielle perdue en plein désert.

Comme je l'ai déjà expliqué, Del Rio savait se montrer patient lorsque la situation l'exigeait. Il me l'avait déjà prouvé à maintes reprises en tant que copilote, et en fit une nouvelle démonstration ce jour-là, se contentant d'observer et d'attendre.

Carmine Noccia cligna finalement des paupières.

— Dites-moi ce que vous voulez, annonça-t-il.

102

Lorsqu'un homme de sa trempe vous demande ce que vous voulez, c'est un peu comme lorsqu'un génie de conte de fées vous accorde un vœu. Vous savez qu'il tiendra promesse, mais mieux vaut réfléchir deux fois aux conséquences de votre requête avant de la formuler.

— J'ai prouvé ma bonne foi. J'ai nettoyé le foutoir sur lequel vous étiez assis sans même le savoir. Je veux que votre père soit informé de ce que nous avons fait pour lui. Et que nous arrêtions de nous tirer dans les pattes.

— Ce que vous voulez, c'est une trêve. Chacun reste de son côté sans gêner l'autre.

— En quelque sorte, oui. Et je veux savoir qui a ordonné l'assassinat de Shelby Cushman.

Noccia esquissa un sourire discret mais en apparence sincère.

— Jamais de meilleur ami, jamais de pire ennemi, conclut-il.

C'était bien la dernière chose que je m'attendais à entendre de sa bouche : le vieux slogan utilisé par les marines pour se décrire eux-mêmes.

« Jamais de meilleur ami. Jamais de pire ennemi. »

Tout comme Del Rio et moi-même, Carmine Noccia était passé chez les marines.

— Je vous sers à boire ? demanda-t-il. Ou peut-être accepteriez-vous de vous joindre à moi pour le dîner ? Nous pourrions discuter de tout cela en mangeant.

— Merci beaucoup pour votre offre, mais il se fait tard. Et nous prenons l'avion.

Le mafioso acquiesça, quittant son fauteuil pour nous escorter jusqu'à la salle de billard.

— Laissez-nous un instant, ordonna-t-il à ses sbires.

La salle se vida immédiatement. Noccia se dirigea vers un tableau noir placé à côté du panneau d'affichage des scores, s'empara d'un tampon et effaça une série de numéros de téléphones inscrits dans un coin.

— Nous avons un partenaire sur un certain nombre de projets immobiliers, expliqua-t-il. Un hôtel dans le Nevada, quelques centres commerciaux à Los Angeles, à San Diego… Ce partenaire nous a récemment soumis une requête que nous ne pouvions pas refuser.

Avec une fascination grandissante, je l'observai tracer les lettres sur le tableau à l'aide d'une craie de billard.

— Voici celui qui a fait exécuter votre amie, Shelby Cushman, conclut-il.

Après nous avoir donné le temps de bien intégrer cette nouvelle information, il effaça ce qu'il venait d'inscrire et nous raccompagna jusqu'à la porte, non sans nous avoir souhaité une bonne nuit.

Cette fois-ci, nous nous quittâmes sur une poignée de main.

103

Il était à nouveau minuit lorsque nous arrivâmes à Los Angeles. Au moment de nous séparer, Del Rio me regarda comme un père regarde son fils en le laissant prendre le bus tout seul pour la première fois.

— Ça ira, le rassurai-je.

Rien n'était moins sûr. Rick ne s'en alla qu'une fois qu'il me vit assis dans ma Lamborghini, la ceinture bouclée. Je pris la 10e Avenue jusqu'à Bundy avant d'emprunter la sortie La Cienega, direction Sunset Boulevard.

J'aurais pu conduire plus vite à bord d'une Volkswagen. Mais le propriétaire d'une voiture de course se voit infliger une double punition : en plus de mettre les flics en état d'alerte, il devient la cible privilégiée de tout bon citoyen armé d'un téléphone portable. Je me bornai donc à respecter les limitations de vitesse. Arrivé à proximité du Château Marmont, je ralentis.

Je pris l'ascenseur depuis le parking au sous-sol sans que personne ne remarque ma présence. Parvenu devant la suite d'Andy, je l'appelai depuis mon portable.

Après un grand nombre de sonneries, il se décida finalement à répondre.

— Jack ? Il y a un problème ? Il est 1 heure du matin.

— Oui, il y a un problème. Ouvre.

Mon ami portait le même pyjama en soie froissée que la dernière fois, avec ses larges rayures bordeaux intercalées de lignes noires plus fines. Il régnait dans la pièce une odeur de pet à laquelle se mêlaient les effluves du pain à l'ail qui trônait sur la télé.

— T'as pas l'air en forme, me dit Andy.

— Je viens d'arriver de Vegas en avion. Ensuite, j'ai conduit jusqu'ici.

— Assieds-toi, Jack.

Je restai debout.

— J'ai passé un bon moment en compagnie de Carmine Noccia, expliquai-je. Chez lui.

Andy me regarda droit dans les yeux. Son visage ne reflétait aucune inquiétude. Comment avait-il pu douter de ma capacité à découvrir la vérité ? Avait-il sous-estimé la façon dont j'allais réagir ? Comment expliquer son impassibilité ? Rien dans son comportement ne semblait correspondre à l'idée que je m'étais forgée de lui, mon frère spirituel et mon meilleur ami depuis l'enfance.

— Carmine m'a parlé de ta requête, annonçai-je d'une voix qui trahissait encore ma stupeur. Il m'a dit que c'était toi qui avais réclamé la mort de Shelby. Comment as-tu pu faire une chose pareille ? Donne-moi au moins une explication à laquelle me raccrocher.

Il se décomposa alors sous mes yeux, chancela et s'effondra finalement. Je le rattrapai et, l'agrippant fermement par les épaules, le balançai dans un fauteuil qui manqua lui aussi de basculer.

Il pleurnichait, désormais, mais ce spectacle pathétique m'embarrassait plus qu'il ne m'impressionnait.

— Allez, Andy, vide ton sac, pauvre merdeux.

— C'était une pute, Jack. Tu me l'as dit, mais je le savais déjà. Rien n'était trop dépravé pour elle tant qu'on avait de quoi la payer. Et tout ça, il a fallu que je l'apprenne de la bouche d'un fumier qui ignorait que c'était ma femme dont il s'agissait, et qui s'en contrefoutait.

— Il y a des tribunaux pour les divorces, rétorquai-je.

L'image de Shelby ne me quittait plus, à présent. Les fous rires qu'elle déclenchait lors de ses spectacles résonnaient encore dans mes oreilles. Je me souvenais de tous les moments difficiles où elle m'avait soutenu, m'empêchant même de sombrer complètement à mon retour d'Afghanistan. De l'imaginer plongée dans cet enfer de drogue et de prostitution, j'en étais malade. Je ne pouvais pas non plus oublier que c'était moi qui lui avais présenté l'homme qui l'avait fait assassiner. Sans moi, Shelby serait sans doute encore en vie. Je l'avais aimée et elle me manquait terriblement.

Comment avait-il pu commettre un tel acte ? Comment pouvait-on ne serait-ce qu'en vouloir à Shelby ? Cette femme était la douceur et la gentillesse mêmes. Elle me faisait rire. Elle nous faisait tous rire.

Les sanglots d'Andy me mettaient hors de moi. La dernière fois que je l'avais vu en larmes, je partageais son désespoir. Aujourd'hui, je ne pouvais que me rendre à l'évidence : j'avais été manipulé. Par mon meilleur ami.

Andy Cushman m'apparaissait désormais comme un parfait étranger.

— Pour un « vulgaire comptable », tu fais un sacré acteur, lançai-je. Tu en fais peut-être un peu trop, là.

Les pleurs cessèrent immédiatement. Il sembla se ressaisir.

— Jack, je t'en supplie. Tu ne te rends pas compte de ce que ça représentait que de vivre avec cette femme. La dope, les hommes… Il fallait que je le fasse. Sauf que je ne pouvais pas le faire moi-même. Je l'aimais vraiment, Jack. Honnêtement. Je t'en supplie. Ne dis rien à la police.

— Ne t'en fais pas. Je ne dirai rien à la police. Tu restes un client, pauvre minable.

— Un client… Et un ami ?

Son air de chien battu me mit hors de moi. En guise de réponse, je lui décochai un direct en pleine face. Son fauteuil se renversa et il tomba au sol. L'agrippant par les cheveux, je le rouai de coups, dans les reins, les côtes, les cuisses. Pour conclure, je lui vidai sur la tête une bouteille de scotch à 300 dollars. À défaut de l'égorger sur place, je ne savais pas trop quoi faire d'autre.

Andy Cushman, ex-client et ex-ami, chialait toujours lorsque je quittai sa suite.

104

Doc arriva en sautillant dans le bureau de Justine et, agrippant d'une main le montant de la porte, bascula en avant, à la manière d'un étendard flottant au vent.

Il était 10 h 10. Cela faisait près de quinze heures qu'il bossait, enfermé dans son labo, sur les deux verres récupérés au bar.

La *profiler* posa les mains à plat sur son bureau et sonda le visage enfantin de son collègue. En tant que scientifique, il pouvait très bien disposer de nouvelles désastreuses et afficher malgré tout un bonheur parfait. Le bonheur d'avoir découvert la solution à un problème.

— Donne-moi une raison d'espérer, déclara Justine. Redonne-moi le sourire, s'il te plaît.

— J'ai une bonne nouvelle, et j'en ai une mauvaise.

— Commence par la mauvaise, répliqua-t-elle, la tête entre les mains.

— La bonne nouvelle, c'est que nous avons isolé l'ADN de l'individu de sexe masculin dont nous ignorons l'identité, et que cet ADN correspond à celui que nous avons trouvé sur la chaussette de Wendy Borman.

— C'est *ça*, la bonne nouvelle ? Nos informations concernant ce type sont purement criminalistiques.

— Oui, on ne sait toujours pas de qui il s'agit. Mais tu l'as vu. Il est vivant et il habite Los Angeles.

— Écoute, Doc. La bonne nouvelle, ce serait d'avoir une correspondance pour Rudolph Crocker. J'étais assise à côté de lui au comptoir. J'ai emballé son verre avec tout le soin qu'on porterait à un nourrisson. Son ADN est forcément dessus.

Doc lâcha le montant de la porte pour venir s'asseoir face à sa collègue, les tongs contre le rebord du bureau. Le jaune de sa chemise hawaïenne allait à merveille avec les reflets blonds dans sa chevelure ; il semblait sortir tout droit d'un magasin de surf sur Venice Beach.

— Le problème, expliqua-t-il, ce n'est pas que l'ADN de Rudolph Crocker ne se trouve pas sur ce verre ; c'est plutôt que ton échantillon, c'est un véritable bouillon de culture. Dans ces conditions, je ne peux ni établir, ni exclure la possibilité d'une correspondance avec l'ADN prélevé sur les vêtements de Wendy Borman. Je suis désolé, Justine, mais ta pièce à conviction, elle ne vaut pas un clou.

— Attends un peu : tu ne peux vraiment pas, d'une façon ou d'une autre, isoler son ADN ?

Doc admirait la faculté de cette femme à ne jamais perdre espoir, et il aurait adoré lui donner satisfaction.

— Tu ne peux vraiment pas ? insista-t-elle.

— Non. Si tu veux tout savoir, je pense que le barman devait manquer de verres propres. Il en a probablement rincé un sale pour le donner à Crocker. On a dû lui fournir des verres propres au moment où il s'apprêtait à servir l'autre type. Ça te semble plausible ?

— Je n'obtiendrai jamais d'autre échantillon. Pas à temps.

— À moins que tu n'ailles directement à la source : son appartement.

— Tu ne voudrais tout de même pas que je m'introduise chez lui par effraction ? Oh, attends. Tu veux dire avec un mandat de perquisition…

— Tu as une meilleure idée ?

Merde, songea Justine. Elle composa le numéro de Bobby. Elle le connaissait par cœur.

105

Avec un profond soupir, Justine pivota sur sa chaise et s'éloigna de Doc pour se rapprocher de la fenêtre. Elle baissa la tête et s'adressa à Petino d'un ton vif.

— Bobby, Doc m'informe qu'on ne peut pas *exclure* l'ADN de Rudolph Crocker de l'échantillon. Ce qui signifie qu'il faisait *peut-être* parti des tarés qui ont kidnappé Wendy Borman. L'échantillon est contaminé, mais Crocker fait partie des contributeurs possibles.

Il y eut une pause.

— Oui, reprit-elle. Donc, j'aurais besoin d'un mandat de perquisition…

Nouveau silence.

— Tu es sérieux ? J'ai juste besoin de récupérer une brosse à dents, ça prendra une seconde…

À l'autre bout du fil, Bobby l'interrompit encore une fois.

— Merci, vraiment, conclut-elle, visiblement énervée. Ce qui se passe à partir de maintenant, c'est *ta* responsabilité.

Elle claqua le téléphone et se tourna vers Doc.

— Il dit que, même en forçant la main au juge, les preuves ne seraient pas reconnues devant un tribunal. À l'heure qu'il est, c'est le cadet de mes soucis. Tout ce que je veux, c'est empêcher ce malade de tuer à nouveau ce soir.

Le téléphone de Doc vibra.

— Je suis en bas si tu as besoin de moi, dit-il en regardant l'écran.

Dans la cave à trolls qui lui servait de bureau, Mo faisait brûler de l'encens. *Une odeur d'ordures parfumées*, songea le criminologue.

— Morbid a piraté un identifiant et envoyé un message à sa cible, Lady B, annonça-t-elle sans quitter son écran des yeux.

Doc attrapa un fauteuil qu'il fit rouler jusqu'à sa collègue pour étudier à son tour les informations affichées. Le programme que cet enfoiré avait mis au point se révélait particulièrement redoutable. Non seulement il pouvait lancer des appels à distance en utilisant un faux identifiant, mais il était également en mesure de mettre sur écoute le numéro du correspondant.

— Isole tout ce qui concerne Morbid et Lady B, conseilla Doc. Autant se faciliter la tâche.

Il décrocha son portable de sa ceinture et téléphona à Jack.

— Morbid est en plein bavardage avec sa cible. Cet enfoiré se planque derrière le pseudo Lulu218. Il a envoyé « RDV après les cours » par SMS. Il ne dit pas où ni quand. Mo, tu peux essayer de localiser Morbid un peu plus précisément ? Jack, il est quelque part dans West Hollywood. Je ne peux pas t'en dire plus à l'heure qu'il est. On garde un œil sur le ping jusqu'à pouvoir définir de façon précise son emplacement.

— Vous ne pouvez pas localiser l'origine de l'appel ? demanda son interlocuteur.

— Non, répondit Doc. On ne peut pas l'intercepter, et cette pauvre fille sera morte bien avant que les flics ne puissent obtenir un mandat du juge.

— J'y travaille !

— Ça marche. On va faire de notre mieux, assura le scientifique avant de raccrocher et de se tourner vers Mo : envoie un message à Lady B.

— J'ai bien essayé, confirma celle-ci, mais elle nous a bloqués. Elle se méfie, elle sait qu'un tueur rôde dans les parages, et c'est le loup camouflé derrière le pseudo de sa copine qu'elle laisse entrer dans la bergerie. Nous, elle nous a claqué la porte au nez.

106

Le lieutenant Rikki Garcia remonta Figueroa à toute vitesse avant de braquer brutalement le volant pour se garer en double file devant le mystérieux immeuble blanc à quatre étages qui servait de quartier général à Private. D'un pas alerte, Justine franchit les portes vitrées, monta à l'intérieur de la voiture de police et boucla sa ceinture.

— Ça me met hors de moi ! lança-t-elle.

— Tu sais, Bobby a beau être un connard fini, il n'a pas complètement tort. La présomption de culpabilité n'est pas suffisante.

— Crocker et son petit copain sont sur le point de tuer quelqu'un ce soir. Nom de Dieu, ça ne suffit pas comme présomption de culpabilité ?

La radio se mit à crachoter, leur signalant une agression avec délit de fuite sur Santa Monica Boulevard.

— Pourquoi ne pas nous rendre au bureau de Crocker ? suggéra Rikki en baissant le volume. On débarque sans prévenir, tu te postes là-bas telle que tu es, tu joues le rôle du procureur bien rigide, je lui présente mon insigne, je lui demande courtoisement de bien vouloir nous suivre. Il n'est pas en état d'arrestation, nous avons tout simplement besoin de son aide sur une affaire. Il se peut qu'il ait été témoin d'un crime, et nous faisons appel à son sens civique.

— D'accord. Il nous suit, on lui fait passer un interrogatoire, tu lui dis qu'on l'a identifié au volant d'un van dans la rue où Borman a été kidnappée, il y a cinq ans de cela.

— Ça peut marcher. La nervosité aidant, il peut très bien se livrer à une déclaration compromettante. Ou peut-être laissera-t-il son ADN sur une canette de Coca. Peut-être cette convocation suffira-t-elle à le désarçonner, voire à l'inciter à annuler le meurtre de ce soir. Dans ce cas, nous gagnons du temps. À partir de là, chère collègue, on ne le lâche plus d'une semelle.

— Il travaille au 231, Wilshire, acquiesça Justine. C'est près de Fairfax. 10 h 40, il devrait y être.

Rikki appuya sur l'accélérateur. Parvenue sur Wilshire, elle localisa le bâtiment sans difficulté. Les deux femmes pénétrèrent à l'intérieur d'un hall d'entrée au design glacial et à l'intérieur duquel trônait une monumentale sculpture de Frank Stella.

Parvenue à l'étage, Rikki colla son badge au nez d'un réceptionniste maigre comme un clou, assis derrière un bureau en marbre vert, et demanda à voir Rudolph Crocker.

— M. Crocker n'est pas là, l'informa son interlocuteur. Il a pris une journée de congé.

— Merde ! s'écria-t-elle en tapant du poing sur le bureau.

De retour dans la voiture, elle mit le cap sur l'appartement du suspect.

— S'il n'est pas chez lui, expliqua-t-elle, on l'attend dehors, comme la dernière fois.

— Pourquoi ne pas lancer un avis de recherche sur son putain de mini-van ?

— Bonne idée, Justine.

La policière communiqua au commissariat le nom de l'individu, indiquant qu'il conduisait un Toyota Sienna dernier modèle.

— Ce van a une importance décisive dans l'affaire des meurtres de lycéennes, insista-t-elle.

Arrivées à destination, le van bleu n'était pas là. Le portier leur indiqua que Crocker avait quitté son domicile tôt ce matin et que non, il ne savait pas quand il serait de retour.

Elles se préparèrent alors à une longue attente, assises dans la voiture. Rikki poursuivit sa litanie de « putain de ceci » et « putain de cela ». Quatre heures plus tard, la policière reçut un appel du commissariat.

— Lieutenant, le Sienna bleu a été repéré du côté de Silver Lake. Il se dirigeait vers le nord, sur Alvaro. Notre véhicule roulait en direction du sud, et l'a perdu de vue en faisant demi-tour.

— Sergent, mettez tous vos véhicules à la recherche de ce van, aboya Rikki. Je veux que vous en arrêtiez le conducteur sous n'importe quel prétexte et que vous le reteniez jusqu'à ma venue. L'individu est peut-être armé, et sans doute dangereux. Il s'agit de notre principal suspect dans une série d'homicides.

107

— Juste histoire de mettre les choses au clair, Jack, intervint Mo d'une voix inhabituellement douce, nous ne connaissons pas le nom de tous ces gens.

Il était près de 16 h 30, ce lundi-là. Je conduisais un véhicule de fonction avec Cruz comme copilote et Mo à l'autre bout du fil. Je basculai la conversation sur le haut-parleur de façon à en faire profiter Emilio.

— Morbid envoie un texto à Lady B sous l'identifiant d'une amie à elle, repêché dans son portable.

— Compris.

— Il vient de lui envoyer : « J'ai un truc important à t'annoncer. Retrouve-moi devant Slommos. »

— C'est quoi, « Slommos » ?

— Je connais, intervint Cruz. Un marchand de journaux sur Vermont.

— Lady B lui a répondu, poursuivit Mo. « Peux pas. Je cuisine ce soir. Je fais les courses. » Morbid insiste : « C'est énorme. J'ai besoin de te voir. RDV au magasin. »

— Quel magasin ? demandai-je.

— Jack, je n'en sais pas plus. Oh oh… Elle répond : « OK. Dans quinze minutes. »

— Tu les as localisés, Mo ? Ou au moins l'un des deux ?

— Morbid est toujours en ligne. Il est sur Montrose, il se rapproche de Park Avenue. Je ne peux pas t'en dire plus. Attends, son signal vient de bouger. Il se dirige vers l'est. Il remonte Sunset. Jack, il vient de s'arrêter sur Glendale. À en juger par la vitesse à laquelle il se déplace, soit il est à un feu rouge, soit il est à pied.

— Il y a un Ralph's Supermarket sur Glendale, précisa Cruz tout en faisant craquer ses articulations. On attend quoi ?

— Justine a dit qu'il était blanc et maigre. La vingtaine, indiqua Mo.

— On est en route, lui indiquai-je.

J'étais de retour dans l'arène, avec une nouvelle chance de tout réparer.

108

Eamon Fitzhugh, alias Morbid, repéra Graciella Gomez seule devant le supermarché.

La jolie jeune fille portait un minishort en jean et un T-shirt rose taille enfant. Il traversa le parking dans sa direction, la tête baissée et les mains enfoncées dans les poches. Ses longs cheveux cachaient une paire d'yeux que la vue de cette petite poupée venait d'enflammer.

Lady B ne le remarqua même pas. Et pour cause : elle attendait son amie, Lulu Fernandez, qui avait une nouvelle importante à lui annoncer.

Morbid l'observa regarder sa montre avant de s'approcher d'elle et de l'appeler par son surnom. Ses talents d'acteur, dont il n'avait jamais douté, allaient entrer en jeu. Ce n'était pas pour rien qu'il se retrouvait en première ligne.

— Gracie ?

— Oui ?

— Je suis l'ami de Lulu, annonça-t-il, feignant une certaine timidité. Je m'appelle Fitz.

— Ah oui ? Elle ne m'a jamais parlé d'un ami qui s'appellerait Fitz.

— C'est resté notre secret, jusqu'à présent. Mais peu importe. Si Lulu m'a demandé de venir à sa place, c'est parce qu'elle doit aller à l'hôpital. C'est grave.

— Quoi ? Que lui est-il arrivé ?

— Écoute, pleurnicha-t-il, elle est enceinte de moi. Elle m'a dit de te le dire. Elle a perdu beaucoup de sang. Il se peut qu'elle perde le bébé. C'est à toi de voir. Mais elle a vraiment besoin de toi.

— Tu sais quoi ? Ce que tu me racontes, c'est rien que des craques. Elle me l'aurait dit si elle sortait avec un Blanc. Surtout un vieux comme toi.

— Tu ne comprends donc pas ? Je te dis qu'elle a besoin de toi.

— Sale menteur ! hurla la fille, le visage tordu par la colère. Laisse-moi tranquille !

Elle recula, percuta une rangée de caddies, perdit l'équilibre, se rattrapa et tenta de fuir.

Fitz la rattrapa sans grande difficulté. L'agrippant par le bras, il la tira à lui pour ne plus la lâcher.

— Gracie, arrête ça, espèce d'idiote. Je ne raconte pas de craques. Regarde, je te laisse partir.

La fille était à deux doigts d'y croire. Il s'apprêtait à lui dire que Lulu l'attendait à l'intérieur du van, mais n'eut pas l'occasion de prononcer un mot de plus.

Un formidable coup dans les côtes le fit basculer à terre. Il tourna la tête et aperçut un bel hispanique qui le maintenait plaqué au sol en lui tordant le bras. Il hurla.

— On peut savoir ce que tu lui veux, à cette fille, sale merdeux ? lui lança Cruz. Hé ! Je te parle !

Il se pencha, attrapa le portefeuille du gamin dans la poche arrière de son jean et le tendit à Jack.

— Où est Rudolph Crocker ?

— Je ne connais pas de Rudolph Crocker. Laissez-moi partir ou j'appelle la police.

— Te fatigue pas, Fitzhugh. La police est déjà en chemin. C'est moi qui l'ai appelée pour toi.

109

Fermement agrippée à son accoudoir, Justine attrapa son téléphone de la main gauche.

— Je suis avec Rikki Garcia, hurla-t-elle à Jack pour couvrir le bruit des sirènes. On a repéré le van de Crocker à trois rues du supermarché. Il y a des voitures de police tout autour… Jack, je te rappelle. La situation est explosive. Ça peut évoluer d'une minute à l'autre.

Arrivée à destination, Rikki freina brusquement et les deux femmes descendirent du véhicule. Une demi-douzaine de policiers se trouvait déjà sur place. L'un d'entre eux s'avança vers elles.

— Voici la situation, lieutenant. Il était déjà garé lorsque nous l'avons interpellé. Il a mis les mains sur la tête en nous voyant arriver. Les portières sont fermées, pas moyen de le faire descendre du véhicule.

— Il refuse de sortir ?

— C'est exactement ça. Incroyable, non ? Il doit sûrement dissimuler quelque chose. De la drogue, peut-être. Ou des flingues. Du matériel informatique dernier cri, que sais-je encore. Conformément à vos instructions, nous l'avons coincé ici.

À travers le pare-brise, Justine observa le type assis au volant : un Blanc à lunettes en métal, plutôt maigrichon, qui la fixait avec un calme désarmant.

Il s'agissait bien de Crocker, cet enfoiré de psychopathe sanguinaire. Après l'avoir vu en photo dans l'album souvenir, puis en vrai au Whiskey Blue, elle ne pouvait pas se tromper. Depuis deux ans maintenant, à intervalles réguliers, il attirait dans ses griffes des jeunes filles suffisamment crédules pour tomber dans les pièges qu'il leur tendait.

Justine connaissait tout de la vie hélas trop courte de ses treize victimes. La haine qu'elle ressentait pour Crocker ne suffisait pourtant pas à noyer sa peur.

Ni elle, ni la police de Los Angeles ne disposaient de preuves substantielles, en dehors d'une identification vieille de cinq ans par une mineure qui ne témoignerait peut-être même pas.

L'enquêtrice se rapprocha suffisamment du tueur pour contempler son visage en détail : narines frémissantes, sourcils en accent circonflexe, sourire aux lèvres. Il semblait savourer l'instant, comme s'il mettait ses ennemis au défi de lui tirer dessus.

Comment interpréter cette attitude ? Pulsion suicidaire ?

Impossible. Impensable.

De retour dans la voiture, elle attrapa la matraque ASP rangée entre les deux sièges et s'en alla rejoindre Rikki, qui se tenait à quelques mètres de la fenêtre du conducteur, le flingue braqué des deux mains sur le suspect.

— Sortez de votre véhicule, hurla à nouveau la policière. C'est notre dernier avertissement. Gardez les mains bien en vue.

— Je ne suis pas armé, répliqua Crocker. Et je ne pense pas que vous ayez vraiment l'intention de me tirer dessus.

Justine laissa la colère s'emparer d'elle. Les conséquences lui importaient peu, désormais. Le déclic de la matraque télescopique résonna comme le bruit d'un fusil qu'on arme, et le lourd bâton en métal passa de quinze à quarante centimètres.

— Pousse-toi, Rikki.

Brandissant l'ASP comme on manie une batte de base-ball, elle fractura la vitre côté conducteur. Celui-ci esquiva alors que les bris de verre se propageaient à travers l'habitacle. Elle renouvela son geste. Stupéfaite, Rikki passa néanmoins la main par la fenêtre brisée, ouvrit la portière et traîna Crocker jusqu'au trottoir.

Le jeune homme roula au sol; tous les flingues se pointèrent dans sa direction.

— À plat ventre, les mains dans le dos! aboya le lieutenant Garcia.

Le sang coulait sur le visage du tueur présumé. Justine prit peur : si elle s'était trompée à son sujet, elle se retrouverait avec plusieurs procès sur le dos, et non des moindres. Crocker commencerait par attaquer la ville pour arrestation infondée, brutalité policière et agression sur sa personne avec dégâts matériels. Il s'en prendrait ensuite à elle et, vu qu'elle n'avait pas les moyens de payer, à Private.

Tant pis. Tout ce qui comptait, à l'heure actuelle, c'était ce tueur froid étendu sur le bitume.

— Rudolph Crocker, vous êtes en état d'arrestation pour entrave au travail de la police, déclara Rikki.

— Je n'ai fait entrave à rien du tout. J'étais assis dans mon van, je ne demandais rien à personne.

— Vous direz ça au juge.

— Vous, vous allez avoir l'air maligne, le moment venu, rétorqua-t-il.

110

Cruz et moi-même débarquâmes sur Fletcher Drive dans les trois minutes qui suivirent l'appel de Justine. La circulation engorgeait chacune des quatre voies, envahissant même les trottoirs. Les véhicules de police bloquaient la route en direction du sud, et les agents s'employaient à détourner les automobilistes qui y affluaient en cette heure de pointe.

Nous marchâmes jusqu'au cordon de sécurité. Je comptai pas moins de huit voitures de patrouille, ainsi que vingt flics en uniforme. Derrière se tenait Rikki Garcia entourée de policiers en civil, son petit pied plaqué contre la nuque d'un individu à plat ventre à qui elle lisait ses droits.

Ce fut à peine si Justine remarqua notre présence. Elle semblait tout entière absorbée par la scène qui se déroulait sous ses yeux.

— Je veux parler à mon avocat ! protesta le suspect.

— Vous parlerez à tous les avocats de la planète si ça vous chante, rétorqua Garcia.

Quatre flics jetèrent le type à lunettes contre le capot d'une de leurs voitures pour lui passer les menottes. Il paraissait inoffensif et, pire encore, ne montrait pas le moindre signe d'inquiétude.

— C'est lui, Crocker ? m'étonnai-je.

— Oui, c'est lui, répondit Justine. Est-ce qu'il a tué quelqu'un ? Je n'en sais rien. N'empêche qu'ils se décideront peut-être enfin à nous le donner, ce putain de mandat. Histoire qu'on puisse aller prélever son ADN directement chez lui.

Un essaim d'hélicoptères de la télévision se matérialisa au-dessus de nos têtes. Les sirènes retentirent ; une Mercedes, une Ford Sedan et un van à antennes paraboliques déboulèrent de l'autre côté.

Le commissaire Fescoe descendit de la Ford. Je n'en revenais pas qu'il soit là si vite. Bobby Petino sortit quant à lui de la Mercedes, et tous deux convergèrent dans notre direction, échangeant quelques mots au passage.

— Qu'est-ce qui t'est arrivé ? demanda Bobby à Justine.

Elle baissa les yeux et vit des traces de sang le long de son avant-bras.

— Ce n'est pas le mien, répondit-elle, visiblement embarrassée.

Quelle raison avait-elle de rougir ?

— Et celui qui s'est fait cogner dessus par Cruz ? interrogea Fescoe. Eamon Fitzhugh. Qu'est-il devenu ?

— En gros, expliquai-je, nous avons appris que Crocker et lui s'apprêtaient à tuer ce soir. Rien de complètement certain, bien sûr. Nous avons pris Fitzhugh en filature et l'avons surpris en train d'avoir un comportement louche avec une fille de quinze ans, sur un parking près de Ralph's Supermarket.

— Il est à l'hôpital avec des lésions et l'épaule déboîtée, à se plaindre des violences policières qu'il a subies.

— Il s'apprêtait à tuer cette fille, protesta Cruz.

— Ça, c'est ce que vous dites.

— Oui, c'est ce que je dis. Tout ce que j'ai fait, c'est de le plaquer au sol pour l'empêcher de nuire. Ce n'est pas de ma faute si c'est un poids plume.

Fescoe me jeta un regard furieux.

— Jack, c'est quoi, ces conneries ? Vos sources sont anonymes. Nous voilà avec deux types à l'hôpital et deux arrestations non motivées. Je veux te voir dans mon bureau dans une demi-heure, avec Cruz et Smith. Vous avez intérêt à avoir de sacrément bonnes explications, ou c'est votre licence qui saute.

— Tu dis que c'est le sang de Crocker ? lançai-je à Justine lorsqu'il fut parti.

Elle acquiesça.

Le siège du van était couvert de bris de verre. Mon esprit ne fit qu'un tour : discrètement, j'enfilai un gant en latex et m'empressai de ramasser quelques fragments tachés de sang, que j'emballai à l'intérieur d'un autre gant.

— Amène ça au labo en urgence, déclarai-je à mon enquêtrice en lui confiant cette pièce à conviction de dernière minute. On se retrouve dans le bureau de Fescoe. On va bien s'amuser.

Elle ne souriait pas encore, mais son expression s'était radoucie.

— Merci, Jack.

111

Le bureau du commissaire Fescoe sentait le déjeuner de la veille.

Les stores à moitié ouverts lui permettaient de surveiller la salle principale. Derrière les vitres sales, les voitures défilaient sur Los Angeles Street comme des fantômes dans la nuit.

Il régnait dans la pièce une tension quasi explosive. Aucune des personnes présentes ne pouvait totalement exclure l'hypothèse d'une poursuite judiciaire, d'un licenciement ou d'une incarcération d'ici la fin de la soirée. Voire les trois en même temps.

En tant que seul actionnaire de Private, je me retrouvais en première ligne. Je n'étais qu'un entrepreneur : la faute serait rejetée sur moi en premier lieu. On nous accuserait d'avoir utilisé des outils électroniques de pointe, a priori illégaux. Sauf que la loi les interdisant n'avait pas encore été votée.

Conformément à nos instructions, le lieutenant Rikki Garcia avait arrêté un homme blessé par l'un de nos agents au cours de son interpellation. Notre unique preuve ? Les souvenirs vieux de cinq ans d'une adolescente qui refuserait probablement de témoigner.

Bien sûr, Fitzhugh avait laissé son ADN sur les vêtements d'une victime d'homicide cinq ans auparavant, mais un peu d'ADN sur une socquette ne faisait pas de lui un meurtrier avéré.

À moins que nous ne puissions établir de façon formelle le lien entre Crocker, Fitzhugh et les meurtres des adolescentes, de Borman jusqu'à Esperanza, leurs avocats les sortiraient immédiatement de prison.

Petino et Fescoe jouaient gros dans cette affaire. Le commissaire se resservit une tasse de café. Il risquait tout simplement de passer à la casserole, puisque l'un de ses policiers se trouvait directement impliqué. Petino, lui, faisait les cent pas au fond de la pièce. Du fait de sa relation avec Justine, c'était lui qui avait amené Private dans cette affaire, se portant au passage garant de nous tous. Si nous tombions, il coulerait en même temps, et sa carrière de gouverneur serait fichue.

Chacun prit place : Rikki Garcia entre Fescoe et Justine, celle-ci à ma droite et Cruz à ma gauche.

— Je voudrais que nous revenions sur tout ce qui s'est passé, annonça Fescoe. Pas de détail inutile, pas de baratin. Du moins, pas tant que nous sommes entre ces quatre murs. Commençons par Justine.

Elle se lança d'une voix parfaitement professionnelle, mais je la connaissais suffisamment pour savoir détecter ses peurs les plus intimes. Elle ne se laissa pourtant pas démonter, expliquant au commissaire comment nous étions remontés jusqu'à Christine Castiglia, témoin dans l'enlèvement de Wendy Borman, et dont les affirmations avaient été recoupées par les travaux de notre laboratoire.

— Nous avons isolé deux sources d'ADN distinctes dans les vêtements de Wendy, poursuivit-elle. L'une d'entre elles correspond à Eamon Fitzhugh.

Nous n'avons pas pu identifier la deuxième. Mais notre témoin oculaire, Mlle Castiglia, nous assure que Rudolph Crocker était le conducteur du van lors de l'enlèvement de Wendy Borman.

Fescoe nous demanda comment nous en étions arrivés à établir un lien entre Wendy Borman et les meurtres des lycéennes. C'est là que les choses se compliquèrent, et qu'il me fallut intervenir.

— Les modes opératoires, bien que non identiques, se ressemblent beaucoup. Nous pensons que Wendy Borman était la première victime.

— Certainement l'une des premières, en tout cas, précisa Justine.

— Crocker et Fitzhugh n'avaient pas commis d'erreur significative avant l'arrivée de Jason Pilser, qui a probablement été recruté pour faire monter les enchères, ajoutai-je. Nous avons retracé les activités de ce type sur le Net. Cet enfoiré se vantait auprès de ses amis virtuels d'avoir été admis au sein d'un club, les *Street Freeks*, ajoutant au passage que les membres se livraient à de vrais assassinats.

— J'ai perdu le fil, admit Fescoe.

— Tu m'as demandé la version simple, Mickey. Ce qui compte, c'est que nous avons intercepté des messages entre Crocker et Pilser, et entre Crocker et Fitzhugh, décrivant leur plan d'action pour un meurtre prévu ce soir. Fitzhugh était avec la fille qu'ils avaient l'intention de tuer lorsque Cruz l'a mis hors d'état de nuire.

— Je vois des failles dans tous les sens, et pas de connexions véritables, rétorqua le commissaire, le visage ombrageux. Vos explications sont truffées de coïncidences ou d'approximations, le plus souvent irrecevables pour un jury de néophytes. Je veux les armes du crime. Je veux des preuves scientifiques. Je veux des témoins oculaires qui n'avaient pas onze ans au moment des faits, ou qui n'ont pas fini balancés par-dessus leur balcon. C'est bien compris ? Crocker sera défendu par Beri Hunt. Cette affaire n'ira même pas devant la justice si nous ne la bouclons pas très vite.

— Il faut que vous empêchiez Crocker et Fitzhugh de communiquer ensemble, répondis-je. Nous avons besoin d'un peu de temps pour comparer l'ADN de Crocker à celui prélevé sur les vêtements de Wendy Borman.

Je me tournai vers Bobby Petino, qui arpentait toujours le fond de la pièce.

— Bobby, nous aurons besoin de mandats de perquisition pour fouiller l'appartement et les bureaux de Crocker et de Fitzhugh. Tu penses pouvoir nous aider ? Ne laissons pas ces deux ordures s'en tirer…

112

Le flingue à la main, Rikki se glissa dans l'appartement de Crocker, alluma les lumières et plaqua son mandat sur la table de l'entrée. Elle entreprit alors d'examiner chacune des deux pièces.

Pas d'ordinateur visible dans le séjour. Fenêtres fermées. Climatisation en marche. Domicile apparemment vide.

— T'en fais pas, Justine, lança Rikki en réponse à sa partenaire restée sur le pas de la porte. Je ne sais pas pour toi, mais ce n'est pas moi qui risque le plus dans cette affaire. Apparemment, je suis un peu le dernier barreau de l'échelle. Un vulgaire pion, si tu veux.

La *profiler* pénétra à son tour dans l'appartement, visitant tour à tour la kitchenette, la chambre et la salle de bains. Son inspection finie, elle posa son arme de côté.

— Il n'y a personne d'autre que nous, conclut Rikki. Toi, cocotte, tu fouilles la chambre et la salle de bains. Hurle si tu trouves quoi que ce soit.

Justine se posta à l'entrée de la chambre, balayant la pièce du regard. On sentait la présence d'un cerveau actif : peinture bleu sombre aux murs, boiseries aux couleurs vives – rose, jaune, vert – et moulures orange. Au centre trônait un lit extra-large.

La bibliothèque couvrait tous les domaines du savoir humain, des arts jusqu'à la politique et à l'écologie, en passant par les sciences. Sur la table de nuit se trouvaient une lampe torche, une boîte de gants en caoutchouc non ouverte, du baume à lèvres, la télécommande du téléviseur, ainsi que des piles.

Elle se dirigea vers le bureau, impeccable. Là non plus, pas d'ordinateur. Les tiroirs étaient fermés à clé. À l'aide des ciseaux qui se trouvaient dans le pot à crayons, elle crocheta la serrure avec l'habileté d'un cambrioleur : méthode hautement illégale, mais au point où elle en était... Elle avait commis bien pire en brisant la fenêtre du van de Crocker.

Les tiroirs ne lui révélèrent pas grand-chose : elle y trouva six Krugerrands dans une boîte à trombones, un peu d'herbe, des feuilles à rouler et des fournitures de bureau. Pas même une photo à se mettre sous la dent.

Elle se tourna vers le buffet et ouvrit chacun des tiroirs à la recherche de toute trace d'un quelconque parcours criminel : coupures de journaux, cahier de notes, n'importe quoi.

À la différence de beaucoup d'autres tueurs, friands de trophées, Crocker cachait les souvenirs qu'il amassait de ses victimes et se contentait d'envoyer au maire des e-mails en forme de pieds de nez, qui ne menaient qu'à de pures reliques vides de sens.

Sa fierté devait bien l'avoir amené à conserver quelque chose de ses succès... Ou peut-être était-il trop malin pour cela.

Rikki pénétra à son tour dans la chambre. Les deux femmes retournèrent le matelas et inspectèrent le sommier à ressorts, nickel lui aussi, et à l'intérieur duquel elles ne trouvèrent aucune cachette.

— Je n'ai jamais vu un mec aussi propre, commenta la policière.

Justine ouvrit un placard muni de lampes qui s'allumaient au moyen d'un petit bijou fixé au bout d'une chaîne. Six costumes noirs, six vestes de sport et six chemises pendaient à des cintres. Au-dessous se trouvait une rangée de chaussures impeccablement alignées. Plus elle cherchait, plus le sentiment d'échec se cristallisait en elle.

Était-il possible que Christine se soit trompée ? Justine avait-elle commis l'erreur de lui imposer de faux souvenirs ? Elle s'apprêtait à tirer sur l'interrupteur pour éteindre la lumière lorsque le détail lui sauta aux yeux.

Quel imbécile, ce Crocker. Il ne l'avait pas dissimulé. Et pourquoi l'aurait-il fait ? Cette histoire remontait à plus de cinq ans.

Justine appela sa partenaire, dont la large silhouette se matérialisa aussitôt derrière elle.

Le cœur de l'enquêtrice se mit alors à tambouriner dans sa poitrine ; le sang dans ses tempes battait si fort qu'elle ne s'entendait plus parler.

— Rikki, dis-moi que je ne rêve pas.

113

Dos au mur à l'intérieur du box, Justine observait Rikki Garcia mettre en pratique ses fameuses techniques d'interrogatoire.

À l'autre bout de la table, en face de la policière, se tenait Rudolph Crocker. En dépit de quelques points de suture sur le visage, il semblait presque heureux, comme si le fait de se retrouver au centre de toutes les préoccupations lui procurait un profond plaisir.

Le sourire qu'il arborait lorsqu'il regardait la détective semblait vouloir dire : « Toi, ma cocotte, tu t'exposes à de graves ennuis. Regarde un peu qui j'ai à mes côtés : Beri Hunt, avocate des plus grandes stars. »

Le ténor du barreau avait le même look qu'à la télé : la quarantaine, cheveux bruns et courts, teint de porcelaine. Elle portait une veste de tailleur en mohair gris ainsi qu'un collier de perles du Pacifique d'un blanc nacré.

Hunt avait reconnu qu'effectivement, ils pouvaient garder Crocker en détention pour entrave au travail de la police. Dès lors qu'il aurait répondu de ce petit écart de comportement, une libération sous caution serait inévitable. Son client serait libre. En attendant, elle ne se priverait pas pour mettre en branle toute la machine judiciaire et faire tomber les responsables de cette arrestation. L'avocate accompagna cette menace d'un joli sourire.

— Monsieur Crocker, commença Rikki, je m'excuse encore une fois pour les blessures que vous avez subies, mais nous pensions que vous aviez une arme à l'avant du véhicule.

— OK, mais je n'étais pas armé. Et maintenant, on va vous coller un procès pour usage illégal de la force, pas vrai, Beri ? On va se faire des millions.

— Rudy, laisse le lieutenant s'exprimer, lui conseilla son avocate. On se tait et on écoute, aujourd'hui.

— C'est Rude, mon diminutif.

— Vous comprenez bien, monsieur Crocker, reprit Rikki, que le décor qui nous attendait à l'intérieur de ce van avait de quoi surprendre.

— Le van ne contenait rien d'illégal, protesta Hunt. Mon client n'était pas armé, et vous n'aviez aucun motif de perquisitionner le véhicule. Autre chose ?

— Parlons un peu de ce van, si vous le voulez bien, maître. L'habitacle est entièrement tapissé de plastique noir étanche, du type de celui que l'on utilise sur les chantiers. La boîte à outils que nous avons trouvée à l'intérieur est pleine d'électrodes, de pinces métalliques et d'étaux de serrage. À quoi ces outils étaient-ils destinés ? C'est la question que nous nous posons. Quiconque doté d'un peu de bon sens, et particulièrement après avoir vu comment ces filles ont été tuées, serait en droit de penser que le revêtement plastique servait à éviter l'écoulement de fluides corporels lors des séances de torture auxquelles se livrait votre client.

— J'aime à garder ce véhicule en parfait état pour pouvoir le revendre, expliqua Crocker, dont le sourire s'était momentanément évanoui.

— Ne réponds pas, lui recommanda à nouveau Hunt. Cette inspectrice ne fait que tirer à blanc sur une cible invisible.

— Malheureusement pour vous, mes balles sont réelles, affirma Rikki. Et ma cible est tout ce qu'il y a de visible.

Elle ouvrit son dossier devant elle et présenta la première page à ses deux interlocuteurs : le rapport de toxicologie établi par le laboratoire de Private.

Hunt chaussa ses lunettes.

— C'est une analyse ADN, commenta-t-elle.

— Exact, confirma le lieutenant Garcia. Vous n'avez à répondre à aucune question, monsieur Crocker, parce que je n'ai pas de questions à vous poser. Je me contente de communiquer à votre avocate les éléments à charge afin qu'elle puisse vous défendre. Ce rapport établit de manière formelle une correspondance entre votre ADN et celui trouvé sur les vêtements de Wendy Borman.

— Excusez-moi, interrompit Hunt, mais qui est cette Wendy Borman ?

— Dites-lui, monsieur Crocker. Oh, et puis non, je vais m'en charger. En 2006, une jeune fille de dix-sept ans du nom de Wendy Borman a été agressée au moyen d'un taser. Crocker l'a ensuite attrapée par les aisselles tandis que son ami, M. Fitzhugh, se chargeait de l'agripper par les chevilles. Tous deux l'ont balancée à l'intérieur d'un van à porte coulissante. Deux jours plus tard, Wendy Borman était retrouvée morte. Ses vêtements ont été parfaitement conservés et l'ADN prélevé sur ses chaussettes et sous ses bras correspond parfaitement à celui de M. Fitzhugh et à celui de votre pourriture de client. L'enlèvement a été observé par un témoin, tout à fait en mesure d'identifier M. Crocker et de témoigner contre lui.

— Disposez-vous de la moindre preuve que mon client est impliqué dans sa mort ? s'enquit l'avocate. Du simple contact jusqu'au meurtre, il y a tout un monde, vous savez.

Rikki se tourna vers Justine.

— Professeur Smith, peut-être pourriez-vous renseigner maître Hunt ?

114

Justine s'assit à côté de sa partenaire, face à Crocker et sa célèbre avocate. Elle sentit son rythme cardiaque passer à la vitesse supérieure, mais son visage resta néanmoins impassible. Elle attendait ce moment depuis longtemps.

Ouvrant le dossier à la dernière page, elle sortit la photo de Wendy Borman, debout entre ses parents, un bras sur chaque épaule, les dépassant tous deux d'une tête. C'était une jeune fille magnifique, qui donnait l'impression de mordre la vie à pleines dents. Le pendentif qu'elle portait autour du cou avait été entouré au marqueur. Justine leur en présenta un agrandissement.

Il s'agissait d'une étoile dorée qui ressemblait à une étoile de mer dont les branches se recourbaient aux extrémités. Le motif semblait avoir été dessiné à la demande, ce qui était le cas : le bijoutier qui l'avait créé tenait toujours boutique sur Santa Monica, et était en mesure d'identifier son travail. L'avocate observa la photo avant de regarder les deux accusatrices d'un air interrogateur.

Justine sortit alors de sa poche un sachet hermétique contenant le fameux collier.

— Votre client utilisait ceci comme interrupteur pour la lampe de son placard. Ses empreintes digitales sont toujours dessus, de même que le sang de Mlle Borman. Au dos se trouve gravée l'inscription suivante : « Pour notre Wendy adorée, maman et papa. »

— J'ai photographié ce pendentif au domicile de M. Crocker, poursuivit Rikki. Le professeur Smith ici présent pourra en témoigner. Nous avons largement de quoi garder votre client en détention provisoire le temps de négocier avec M. Fitzhugh.

— Je souhaiterais m'entretenir avec lui en privé, indiqua Hunt.

— Génial. Faites donc, rétorqua Rikki. Deux ou trois choses qu'il faut que vous sachiez : nous avons obtenu un mandat pour fouiller l'ordinateur professionnel de M. Crocker, ce que nous sommes en train de faire à l'heure où je vous parle. Nous avons d'ores et déjà trouvé des e-mails incriminant M. Crocker et M. Fitzhugh, car donnant les détails de chacun de ces treize meurtres.

Le jeune homme avait cessé de rouler des mécaniques pour se métamorphoser en petit garçon à deux doigts de faire dans son pantalon.

— Autre chose, reprit le lieutenant Garcia. M. Fitzhugh est à l'hôpital sous protection policière. Il n'a pas encore vu d'avocat, mais nous lui avons donné les explications que nous venons de vous fournir. Maître Hunt, je crois que vous savez où je veux en venir. Vous pouvez tenter votre chance et plaider ça auprès d'un jury. Sinon, il vous reste tout juste le temps de prendre les devants avant que M. Fitzhugh ne se retourne contre votre client et ne passe un accord de son côté.

— Je l'ai vu à l'hôpital, ce matin, ajouta Justine. Il comprend très bien que le fait de s'en prendre à une fille de quinze ans avec l'intention de tuer risque de ne pas passer auprès d'un jury. En tant que psychologue, je ne pense pas que M. Fitzhugh soit suffisamment solide pour affronter le couloir de la mort, à attendre indéfiniment une injection. C'est un être sensible et très rationnel, qui subit plus de stress qu'il ne peut en supporter. Il est à deux doigts de craquer, si ce n'est déjà fait.

Justine sentit que son euphorie en devenait presque audible. Elle continua malgré tout.

— Le district attorney voudrait vous poursuivre tous les deux, précisa-t-elle à Crocker. Mais le commissaire Michael Fescoe, un bon ami à moi, préférerait voir les choses se régler plus simplement. Le premier à se confesser remporte la mise. À vous de juger. Qui prend perpète ? Qui prend la peine de mort ? Dans l'état actuel des choses, c'est vous, *Rude*.

115

Justine se sentit pousser des ailes en quittant le box. Elle retoucha son maquillage dans l'ascenseur et, arrivée en bas, sauta sur la banquette arrière du véhicule de fonction qui l'attendait le long du trottoir. La voiture démarra, direction l'hôtel de ville.

C'était Jack qui conduisait. Cruz occupait le siège avant.

— Ça va comme tu veux, Justine ? demanda celui-ci.

— Oui, pourquoi ? Je devrais m'en faire parce que le maire veut nous voir immédiatement, sans nous dire pourquoi ? Ou peut-être mon cerveau a-t-il été irrémédiablement pollué par l'autre psychopathe ?

— Dis-lui, Justine, lui lança Jack avec un grand sourire. Je n'en ai pas encore eu l'occasion.

— Oui, dis-moi tout, renchérit Cruz, tout sourire lui aussi.

— Alors voilà. Après avoir viré son avocate, Crocker nous raconte le meurtre de Wendy Borman en détail, avec son accent de bonne famille et ce ton moitié ironique, moitié grandiloquent. La phrase qui m'a le plus estomaquée, c'est celle-ci : « C'était un jeu, et je veux en tirer le prestige qui m'est dû. Autrement, pourquoi aurais-je échafaudé tous ces plans, et mis sur pied toutes ces… comment dire… exécutions ? »

— Tu rigoles ? s'étonna Cruz avec un sifflement admiratif. Il a vraiment dit ça ?

— Il visait le haut du podium, expliqua Jack. Ou le bas, selon la façon dont on voit les choses.

— Précisément, confirma Justine. Ce type voudrait qu'on se souvienne de lui comme le plus infâme et le plus dégueulasse de tous les tueurs en série de sa tranche d'âge dans l'histoire de Los Angeles.

— Que ça lui plaise ou non, je crois que c'est un honneur qu'il va devoir partager avec Fitzhugh. Il a laissé entendre qu'il pourrait y avoir d'autres victimes que les treize que nous leur connaissons. Il dispose peut-être même d'informations concernant le prétendu suicide de Jason Pilser.

— C'est à ce moment-là que Crocker a demandé à parler au district attorney…

Jack se chargea de raconter la suite de l'histoire. Justine posa sa tête sur son dossier et l'écouta expliquer à Cruz comment Bobby Petino avait passé un accord avec Crocker pour lui éviter la peine de mort en échange d'une confession concernant l'intégralité de ses autres meurtres, aussi nombreux fussent-ils.

Avec un calme olympien, Petino avait alors quitté la salle d'interrogatoire. Il se contrefichait de savoir comment ce gamin avait pu devenir un dangereux psychopathe.

Justine, elle, se devait de comprendre pourquoi ces jeunes gens issus de milieux privilégiés se transformaient en monstres. Crocker et Fitzhugh lui rappelaient Nathan Leopold et Richard Loeb, deux brillants adolescents du début du XXe siècle qui avaient tué l'un de leurs camarades de classe, juste histoire de voir s'ils se feraient attraper. Bien que très intelligents, ils commirent une erreur de débutants qui leur valut la prison à vie. Plus tard, on découvrit que ces garçons éprouvaient l'un pour l'autre un attachement homosexuel inconscient.

Crocker et Fitzhugh avaient torturé toutes ces filles, mais aucune n'avait été agressée sexuellement. Ces deux-là semblaient reproduire le cas Leopold et Loeb.

L'étude de leur profil soulevait plus de questions qu'elle n'apportait de réponses quant à la nature exacte de leur psychose. Les grilles de lecture se multipliaient : prédisposition génétique, trauma, physiologie cérébrale, ou le toujours populaire : « Qu'est-ce qu'on en sait ? De toute façon, on est tous différents, pas vrai ? »

En tant que témoin potentiel dans cette affaire, Justine n'était pas autorisée à passer davantage de temps avec Crocker, ce qu'elle regrettait amèrement. Cette espèce de reptile lui aurait volontiers livré tous ses secrets si cela lui avait permis d'attirer encore un peu plus l'attention sur sa petite personne.

Jack se gara derrière l'hôtel de ville, ouvrit la porte et aida sa collègue à descendre.

— Je te préviens, Jack, lança-t-elle en baissant ses lunettes de soleil. Si le maire a l'intention de nous botter les fesses pour avoir un peu rudoyé ces deux enfoirés, je ne me laisserai pas faire.

116

Thomas Hefferon, maire de Los Angeles, était un homme doté d'une belle crinière grise et d'une longue silhouette filiforme. Il avait perdu l'usage de son bras gauche lors de l'opération Tempête du désert. Du haut de son mètre quatre-vingt-dix, le commissaire Fescoe aurait pu passer pour son garde du corps, bien qu'Hefferon fût tout à fait en mesure d'assurer sa propre protection.

Le maire nous fit signe à tous – Justine, Cruz, Fescoe, Petino, Garcia et moi-même – de venir nous asseoir autour de la grande table de conférence en verre qui donnait sur une baie vitrée, offrant une vue aérienne de la ville.

— Heureux que vous ayez tous pu venir si rapidement, commença-t-il. Le commissaire Fescoe a plusieurs nouvelles à vous annoncer.

— Eamon Fitzhugh a reconnu sa participation au meurtre de Wendy Borman, déclara Fescoe, les mains croisées sur la table. Nous sommes en train d'étudier son ordinateur à l'heure qu'il est. Il semblerait que cet enfoiré souffre de troubles obsessionnels compulsifs. Il n'y a pas un texto, pas un fichier qu'il n'ait scrupuleusement classé depuis 2006. Il va nous falloir des semaines avant de comprendre comment fonctionne ce programme d'espionnage à distance qu'il utilisait pour appâter ses victimes. Nous avons affaire à un véritable petit génie.

— C'est intéressant, Michael, intervint Justine. Crocker se considère lui-même comme un génie. Fitzhugh, à ses yeux, n'était qu'un instrument.

— Ce sont tous deux des instruments, plaisanta Garcia. Voilà qui règle le problème, non ? Trois ans de calvaire et voilà que je récupère ma vie. Je ne sais pas comment je vais occuper mes journées, maintenant.

Les rires fusèrent. Le maire attendit que le calme revienne pour prendre la parole.

— Vous avez tous accompli un travail remarquable. Commissaire Fescoe, j'apprécie tout particulièrement l'audace dont vous avez fait preuve en acceptant la collaboration de Private. Jack, j'espère pouvoir à nouveau travailler avec vous. Justine et Rikki, toutes ces heures, que dis-je, toutes ces années consacrées à cette affaire ont finalement porté leurs fruits. Emilio, à ce qu'on m'a dit, vous lui avez collé une peur bleue, à ce Fitzhugh. Les citoyens de Los Angeles sont plus en sécurité grâce à votre dévouement. Merci à vous tous.

Nom de Dieu, ce qu'ils pouvaient faire du bien, ces remerciements. Je ne savais pas quelle substance ils venaient de libérer dans mon cerveau, mais mon corps tout entier en savourait les effets. Tout l'argent du monde ne reproduira jamais la satisfaction que procure le fait de claquer une fois pour toutes un couvercle de poubelle sur un tas d'ordures particulièrement nauséabond.

Les plaisanteries allèrent bon train. On nous prit en photo en compagnie du maire, une coupe de champagne à la main. C'est à ce moment que, dans ma poche de veston, mon portable se mit à vibrer.

Il s'agissait d'un message vocal signalé comme urgent, transféré depuis mon téléphone au bureau. Mon interlocuteur s'appelait Michael Donahue. Il s'agissait du propriétaire du pub irlandais que fréquentait Colleen. La réalité me rattrapa alors comme un uppercut en pleine figure.

Donahue m'expliquait la situation d'une voix sombre et avec un accent irlandais à couper au couteau. Le message terminé, je le mis en lecture une deuxième fois pour m'assurer d'avoir bien compris.

« Jack, Colleen est au Glendale Memorial Hospital. Chambre 411. C'est grave. Il faut que tu viennes, le plus vite possible. »

117

Je m'engageai sur l'autoroute 101 comme une bombe en direction de la 5, au nord. Pendant ce temps, j'essayai de joindre Donahue, en vain. Je me faisais un sang d'encre et ratai la sortie pour Los Feliz. Braquant tout de même le volant à la dernière seconde, je perdis le contrôle du véhicule, qui s'arrêta après un dérapage à dix centimètres du rebord en béton.

Les klaxons retentirent tandis que le trafic continuait de se déverser autour de moi à grande vitesse. D'une main tremblante, je redémarrai le moteur et m'engageai finalement sur la rampe de sortie. Je venais de frôler l'accident, et peut-être la mort.

Vingt-cinq minutes après avoir reçu ce maudit coup de fil, je déboulais en trombe dans le hall d'entrée de Glendale Memorial, appuyant frénétiquement sur le bouton de l'ascenseur jusqu'à ce que les portes daignent s'ouvrir.

Je n'eus aucun mal à trouver la chambre de Colleen. Au moment où je poussai la lourde porte battante, le propriétaire du pub se leva de son fauteuil inclinable, près du lit, pour venir me serrer la main.

— Doucement avec elle, Jack. Elle n'est pas au mieux.

— Que s'est-il passé ?

— Je vous laisse seuls.

Recouverte jusqu'au menton par des couvertures de coton blanc, mon amie avait les joues rouges et les cheveux humides au niveau des tempes. Elle semblait minuscule dans ce grand lit, comme un petit enfant malade.

Je pris place dans le fauteuil, me penchai vers elle et posai ma main sur son épaule. J'avais peur pour elle. Depuis que je la connaissais, je ne l'avais jamais vue malade. Pas une seule fois.

— Colleen, c'est Jack.

Elle ouvrit ses yeux bleus et hocha la tête en m'apercevant.

— Ça va ? Que s'est-il passé ?

— Je rentre chez moi, marmonna-t-elle d'une voix que les médicaments avaient rendue pâteuse.

— Qu'est-ce que tu racontes ? À Dublin ?

Une idée terrifiante me traversa l'esprit, comme un coup de poing dans l'estomac.

— Tu étais enceinte ? Est-ce que tu viens de perdre le bébé ?

L'expression parfaitement neutre de Colleen se changea en un sourire, qui laissa à son tour place à des sanglots hystériques. Elle porta ses mains à ses joues, me révélant les deux horribles bandes de gaze qui enserraient ses poignets. Le sang rouge vif qui striait les compresses perlait encore à la surface.

Qu'avait-elle donc fait ?

— J'ai dit à Mike de ne pas t'appeler, dit-elle. J'ai tellement honte que tu me voies dans cet état… Ça va aller. Va-t'en, Jack, s'il te plaît. Ça va, maintenant.

— Où avais-tu la tête, Colleen ?

Je songeai à ces dernières semaines, à ces derniers mois. Comment avais-je pu ne pas remarquer à quel point elle était déprimée ? Mon manque de jugement me mettait parfois hors de moi.

— C'était complètement idiot, je sais, répondit-elle. Mais j'avais tellement mal. Tu n'as pas besoin de me le répéter, Jack. Je sais que c'est fini entre nous.

— Colleen, murmurai-je. Oh, Colleen…

Elle ferma les yeux et la honte me submergea. Ainsi que la culpabilité. Je me sentais très attaché à cette femme, mais son attachement pour moi était plus grand encore. J'avais fait preuve d'égoïsme en restant avec elle pendant si longtemps alors même que je savais que notre relation ne pouvait pas durer. Je l'avais profondément blessée, et voilà ce qu'elle venait de s'infliger à elle-même. Quel désastre…

Je ne sais pas combien de temps nous restâmes ainsi sans parler. Peut-être ne fut-ce qu'une minute, mais j'eus en tout cas tout le loisir de réfléchir à ce qu'elle signifiait pour moi. Je m'efforçai de nous imaginer un avenir commun. Aussi triste que cela puisse paraître, je n'en voyais pas.

— Au moins, tu n'auras plus à subir mon drôle d'accent, soupira-t-elle.

— Tu ne sais pas que je l'adore, ton accent ?

— Tu as toujours été gentil avec moi, Jack. Je ne l'oublierai pas.

— Sincèrement, mademoiselle Molloy, je vous souhaite tout le bonheur du monde.

Elle acquiesça tandis que les larmes roulaient le long de ses joues.

— À vous aussi, monsieur Morgan.

Aucun de nous deux ne prononça un mot de plus.

Je l'embrassai une dernière fois et quittai sa chambre, sachant que je ne la reverrais plus. Je venais encore une fois de laisser filer une femme merveilleuse. C'était quoi, mon problème, au juste ?

118

J'avais prévu de célébrer la fin de l'enquête au Pacific Dining Car, afin de remercier le personnel du laboratoire ainsi que les principaux acteurs de cette affaire, qui avaient tous fait un excellent boulot. Mais après avoir vu Colleen dans cet état, je n'avais plus le cœur à m'amuser, ni même à faire semblant.

Téléphonant à Doc, je lui expliquai qu'une urgence familiale me retenait et lui confiai l'organisation du déjeuner. Je commis alors l'impensable : j'éteignis mon portable.

Je pris ensuite la route en direction de Forest Lawn, le vieux cimetière où des dizaines de célébrités étaient enterrées. Ma douce mère y reposait également.

Une maladie cardiaque jusqu'alors non diagnostiquée l'avait emportée au cours de l'horrible déballage auquel avait donné lieu le procès de mon père. Sa mort avait mis un terme aussi brutal qu'inattendu à une vie finalement faite de frustrations. Peut-être était-ce la relation calamiteuse entre ma mère et mon père qui m'avait dégoûté du mariage.

Je retirai ma veste et m'assis sur la pelouse, face à la stèle toute simple qu'ornait une paire de mains jointes en signe de prière, avec, au-dessous, l'inscription : « Sandra Vaughan Morgan est avec le Seigneur. »

Au loin, le son d'une tondeuse à gazon peuplait le silence. J'aperçus quelques ballons qui flottaient au vent, probablement au-dessus de la tombe d'un enfant.

Pendant ces quelques instants de recueillement, je ne m'adressai pas à ma mère directement, mais repensai aux rares moments de bonheur que nous avions connus en tant que famille : les pique-niques, les fêtes d'après-match, les films de Peter Sellers que nous regardions tous les deux à la télé, tard le soir. Elle avait probablement vu *La Panthère rose* une bonne centaine de fois sans jamais s'en lasser. J'avais dû en faire autant. Et Tommy aussi.

Ces souvenirs m'arrachèrent un sourire. Roulant ma veste en boule, je m'allongeai dans l'herbe, fasciné par le mouvement ondoyant des feuilles dans les arbres.

J'avais dû dormir un certain temps, car ce fut un des gardiens qui me réveilla en me secouant le bras.

— On va devoir fermer, monsieur. Il faut que vous partiez.

Je touchai la pierre tombale une dernière fois avant de retrouver ma voiture qui, à la manière d'un cheval habitué à mener sa carriole, me guida d'elle-même jusqu'à une petite remise reconvertie en habitation. Cette jolie bâtisse nichée dans les hauteurs de Beverly Hills, je la connaissais bien.

Je me garai sur Wetherly, une petite rue résidentielle bien entretenue, et observai un instant l'adorable maison de Justine. Allumant mon téléphone, je composai son numéro. Elle décrocha à la première sonnerie.

— Jack, c'était quoi, cette urgence familiale ? Tu as raté la fête.

— Colleen rentre à Dublin. Nous en avons longuement parlé. Après ça, je suis allé à Forest Lawn. J'avais besoin de réfléchir un peu.

— Tu vas bien ?

— Oui, bien sûr.

— Ça te ressemble bien, ce genre de réponse. Moi aussi, j'ai dû me remettre en question, ces derniers temps. Bobby m'a larguée pour se remettre avec sa femme. Dommage pour lui : elle a repris son autonomie.

J'aurais voulu la réconforter et, en même temps, cette nouvelle me rassurait. Justine était trop bien pour Petino. Elle avait tout à perdre à se plonger dans le cloaque fétide de la politique californienne.

Je me demandais ce qu'elle faisait, juste avant que je ne l'appelle, l'imaginant à son bureau ou allongée au lit devant la télé, un verre de vin à la main. Mon attachement pour elle exerçait sur moi une force quasi magnétique.

— Qu'est-ce que tu fais, là, maintenant ? lui demandai-je.

— Pourquoi ?

— Je pourrais passer. Juste un petit moment.

Il y eut un long silence, que je me plus à remplir d'espoir.

— Jack, tu sais aussi bien que moi que ce ne serait pas une bonne idée. Pourquoi ne pas t'offrir une belle nuit de sommeil, et on se voit demain ?

Au moment de raccrocher, je répétai son nom à voix haute, puis restai là, à observer les lumières s'éteindre une à une dans sa maison.

Je rentrai seul chez moi.

ÉPILOGUE
C'est dans la boîte !

119

Parker Dalton, acteur au chômage, frappa à la porte de la suite 34 du Château Marmont.

Sa table de massage dans une main, il ajusta sa casquette de l'autre et attendit, debout sur la moquette sombre du couloir, que M. Cushman l'invite à entrer pour sa séance quotidienne.

Tout compte fait, Dalton adorait son nouveau job. Le Château grouillait de stars, dont certaines venaient y passer plusieurs mois d'affilée. Il y croisait entre autres Drew Barrymore, Cameron Diaz ou Matthew Perry, ce qui ne manquait pas d'alimenter son blog et, il l'espérait, de faire avancer sa propre carrière. Il avait inondé Tweeter de messages relatifs à ses rencontres. Friands de ses commentaires bien sentis, ses amis et innombrables amis d'amis n'avaient pas manqué de lui réclamer plus de détails.

Cushman n'était pas exactement une star, mais suite au meurtre de sa femme, le tueur courant toujours, on pouvait le qualifier de célébrité mineure.

Faute d'obtenir une réponse, Dalton appela son client sur sa ligne directe. Il entendit le téléphone sonner à l'intérieur. Personne ne décrochant, il lui restait deux options : partir ou appeler la réception.

Cushman l'avait déjà reçu à moitié saoul. Peut-être avait-il eu un accident, cette fois-ci… Il pouvait être tombé dans sa douche…

Dalton se résolut finalement à appeler la réception. Le chef du personnel de jour arriva aussitôt, un grand type blond et plutôt baraqué, la poitrine décorée d'un écusson portant son nom : Strauss. Après avoir posé au masseur quelques questions de routine, il ouvrit la porte.

Depuis l'entrée, Dalton appela Cushman à plusieurs reprises avant d'emboîter le pas de Strauss et de s'aventurer à l'intérieur de l'immense suite.

Sobre et distingué, le mobilier style années 1930 était intact. Verres et bouteilles recouvraient en revanche les tables, et les poubelles regorgeaient d'ordures. Sur le lit défait, les rideaux gisaient, enroulés.

— Je ne le vois nulle part, commenta le masseur.

— Sans rire, répliqua Strauss, laconique.

Dalton l'observa ouvrir les portes des placards. Il y vit une belle occasion de fouiner un peu. Que portait-il, ce Cushman, lorsqu'il n'était pas tout nu ou en pyjama ?

Rien dans le placard, ni dans le buffet.

Un désordre effroyable régnait dans la salle de bains, une pièce merveilleuse avec carreaux d'époque en damier noir et blanc. Le placard au-dessus du lavabo était resté ouvert, n'exhibant qu'un rasoir usagé et un tube d'aspirine. Les serviettes avaient été jetées au sol.

— Eh ben, s'exclama Parker Dalton, on dirait bien qu'il est parti sans me prévenir.

— Seigneur, il s'est enfui sans payer sa note.

— Vous allez appeler la police ?

— Soyez sérieux. Vous êtes au Château Marmont, ici.

Le masseur n'attendit pas d'avoir quitté le légendaire hôtel – dont certains prétendaient qu'il était hanté – pour tweeter cette incroyable histoire. D'ici la fin de la journée, quelque vingt mille curieux sauraient qu'Andy Cushman avait quitté sa chambre sans payer sa note.

120

L'après-midi était déjà bien avancé lorsque Del Rio gara sa Land Rover grise derrière Lobo Canyon, sur Lobo Vista Road.

Le ciel avait pris la couleur de son véhicule et de ses vêtements : un gris pesant. Mais dans un endroit si désolé, ce camouflage était bien superflu.

L'homme eut une pensée pour Jack lorsqu'il sortit sa Remington .308 du coffre, avant de s'aventurer dans la broussaille en contrebas de la route, le long d'une piste de cerfs à flanc de colline. La pente s'accentua à mesure qu'il marchait. Lorsque la piste bifurqua sur la droite, Del Rio se fraya un chemin à travers les herbes hautes. Ses chaussures glissaient, mais il se hissa grâce aux pousses et aux buissons jusqu'à parvenir au sommet.

Soixante-dix mètres plus bas se trouvait la ferme aux dépendances blanchies par le soleil. À cette hauteur, le petit lopin de terre ressemblait à un tapis fripé que l'on aurait jeté au milieu du paysage.

Del Rio se mit en position couchée, la gueule du canon posée sur le rebord de la colline.

Quarante interminables minutes s'écoulèrent avant que la porte de derrière ne s'ouvre. L'homme qu'il guettait sortit alors, accompagné d'un Rhodesian

Ridgeback, un magnifique animal. Il portait une chemise à carreaux, un jean et un chapeau à bords marron. Il s'avança d'une démarche chaloupée et, tout en caressant la tête de son chien, l'attacha à l'un des poteaux du porche. Muni d'une bride et d'une selle, il se dirigea vers le paddock pour y enfourcher une jument à la robe brune ; il emprunta alors un sentier équestre qui montait à flanc de colline, où les ennuis l'attendaient.

Del Rio prit dans sa ligne de visée l'un des carreaux du tissu puis appuya sur la détente. Les oreilles de la jument, qui venait d'amorcer un tournant, se rabattirent en arrière, et un trou apparut dans la chemise du cavalier.

Le tireur se leva. L'homme était toujours en selle. Puis, lentement, comme dans un film au ralenti, il bascula de côté pour tomber à terre.

Sa monture le traîna derrière elle jusqu'à ce que sa botte se détache de l'étrier. L'animal s'en alla alors brouter l'herbe sèche.

Del Rio attrapa la douille de la balle, la plaça dans sa poche et redescendit la colline en direction de sa victime.

Parvenu devant le corps du tueur à gages, il vérifia son pouls. Calme plat. Il lui assena tout de même quelques coups de pieds dans le flanc pour s'assurer qu'il était bien mort.

— Bo Montgomery, espèce d'ordure… lança-t-il.

Shelby non plus ne l'avait pas vu venir.

Essuyant son arme sur un pan de chemise, il la balança par-dessus la falaise et la regarda se fracasser contre les rochers qui émergeaient des broussailles à perte de vue.

121

À l'heure actuelle, toutes nos enquêtes les plus importantes avaient été résolues. En tout cas, celles dont s'occupait notre bureau de Los Angeles.

À Londres, Amsterdam, Miami et New York, les affaires se succédaient à un rythme effréné. À Rome, l'affaire Fiat s'apprêtait à éclater, ce qui laissait augurer de jolis profits, mais ne me passionnait pas outre mesure.

Notre briefing matinal s'était transformé en une fête improvisée. Tout le monde se tenait debout et les rires fusaient de toute part. Mo avait apporté un cheesecake et Doc se chargeait de remplir les mugs à café de Bailey's. Cruz ne lâcha pas d'une semelle l'assistante de laboratoire, Karen, dont la proximité lui offrait une vue plongeante sur son décolleté.

Lorsque, sous la pression du groupe, Justine prit la parole, ce fut pour prononcer ces quatre syllabes, « on les a eus ! », que son auditoire accueillit par un tonnerre d'applaudissements.

La porte s'ouvrit à cet instant précis, et mon nouvel assistant, Cody Dawes, se faufila jusqu'à moi.

— Une certaine Jeanette Colton vient d'arriver sans rendez-vous, m'annonça-t-il. Elle attend à la réception. Que dois-je faire ?

— Je vais la faire monter dans mon bureau. Tu devrais passer un peu de temps avec nous, Cody. Apprendre à connaître les gens. C'est ce qui compte le plus dans notre métier.

— Et les appels téléphoniques ?

— Nous avons des répondeurs pour ça.

Quittant notre salle de réunion, j'aperçus Jeanette Colton assise dans le hall. C'était à une jeune femme impeccablement coiffée et tout en retenue que j'avais eu affaire, la dernière fois. Elle m'avait alors expliqué comment elle et son tennisman de mari souhaitaient faire un échange de partenaires avec un couple de voisins.

Faute d'avoir le temps de m'occuper de leur cas, je leur avais recommandé mon vieil ami Haywood Prentiss.

À mesure que je me rapprochais, je vis à quel point les choses avaient dû mal tourner pour Jeanette Colton. Sa joue gauche arborait la marque encore fraîche d'un coup, et ses yeux étaient noirs et gonflés.

Elle m'empoigna d'une main dont la fermeté en disait long sur son désespoir.

— Jack, il faut que je vous parle. Je suis désolée de débarquer ainsi à l'improviste.

— Que s'est-il passé ? Allons dans mon bureau, si vous le voulez bien.

Son visage se tordit alors de douleur et elle éclata en sanglots. Tout à coup, elle ressemblait à une petite fille.

— J'ai fait une chose horrible, bredouilla-t-elle dans l'ascenseur. J'ai renversé Lars avec sa Rolls.

— Vous avez fait quoi ?

— Je l'ai renversé. Et j'ai fait marche arrière sur lui, ensuite.

— Vous l'avez tué ?

Elle fit non de la tête.

— Il m'insultait encore lorsque j'ai quitté la maison. J'ai appelé une ambulance, mais je ne l'ai pas attendue. J'ai besoin d'un bon avocat, Jack. Le meilleur qui soit.

Nous pénétrâmes dans mon bureau. Et moi qui pensais que toutes nos grosses affaires avaient été résolues !

— Je ferai de mon mieux pour vous aider, lui assurai-je en reculant d'un pas pour la laisser passer.

La porte s'ouvrit en grinçant, dévoilant une présence à laquelle je ne m'attendais guère : assis dans mon fauteuil se tenait mon jumeau, les mocassins posés sur mon bureau, le visage fendu d'un sourire moqueur.

Que faisait-il ici ? Quelles nouvelles crasses me réservait-il ?

— Et comment vont les affaires, monsieur le superhéros ? railla-t-il. Séchez vos larmes, gente damoiselle en détresse, Jack va tout arranger pour vous.

122

— Ça ne prendra qu'une minute, frérot, m'affirma Tommy. Après quoi, je te fous la paix pour de bon.

Je laissai Jeanette prendre place à côté du bureau de Cody, lui assurant que je serais de retour dans moins de trente secondes, et refermai la porte derrière moi.

— Vas-y, je t'écoute, lançai-je.

— Il y a plus à voir qu'à entendre, me répondit-il en me présentant un document à l'intérieur d'un dossier bleu.

— Dégage de mon bureau, lui ordonnai-je.

Tommy pouffa de rire mais se leva malgré tout pour aller s'asseoir en face. Le document portait le nom de mon frère, à côté de celui de mon père.

— Allez, crache ce que tu as à me dire, repris-je. J'ai une cliente qui a de sérieux ennuis.

— Elle s'en sortira, je ne m'inquiète pas pour elle. Quoi qu'il en soit, je vais me faire un plaisir de te résumer la situation, frérot. J'ai fini ma cure de réadaptation avec les félicitations du jury, et j'en ai parlé à l'avocat de papa. J'ai une sacrée nouvelle à t'annoncer. Tu es bien assis ?

— Papa n'était pas notre vrai père ? Quel soulagement !

— Désolé de te décevoir, s'esclaffa-t-il, mais c'était bien notre père, aucun doute là-dessus. Et comme j'ai terminé mon traitement avec succès, je viens d'hériter d'un joli pactole. Quinze millions, Jack. La même chose que toi, je crois.

Il me fallut redoubler d'efforts pour rester stoïque et dissimuler mon désarroi. Connaissant mon père comme je le connaissais, je ne m'étonnai qu'à moitié que ce vieux serpent ait pu continuer à nous opposer l'un à l'autre, même depuis la tombe. Cet enfoiré restait toujours aussi fourbe dans l'au-delà. Autrement, pourquoi m'aurait-il dissimulé le fait qu'il mettait également de l'argent de côté pour Tommy ?

— Tu sais ce que je vais faire de mon héritage, Jack ? Je vais investir massivement pour faire de Private Security une multinationale comme la tienne. Je porte le nom de papa, et je pense que ça ne lui aurait pas déplu de me voir te botter les fesses. Private Security ne fera qu'une bouchée de Private Investigations, c'est moi qui te le dis.

— Tant mieux pour toi, Tommy. Je vous souhaite beaucoup de succès, à toi et à ton entreprise. Merci d'être passé. Fais attention à ne pas te manger la porte en sortant.

Mais mon frère n'en avait pas encore fini. Son sourire s'élargit.

— J'ai autre chose pour toi, déclara-t-il.

Il sortit de sa poche un morceau de papier, qu'il me tendit. Il s'agissait d'un chèque de 600 000 dollars à mon nom.

— Nous sommes quittes, maintenant, commenta-t-il.

Il se dressa alors face à moi et, formant un flingue avec son index, le pointa dans ma direction.

— T'es mort, Jack.

Il prononça ces mots d'une étrange petite voix geignarde, qui reproduisait l'intonation qu'il avait utilisée, sous un déguisement électronique, à chaque fois qu'il m'avait appelé. De voir son visage bien réel tandis qu'il articulait ces mots, « t'es mort, Jack », l'effet en devenait plus effrayant encore.

Voilà qui était réellement mon frère, mon jumeau.

Il me détestait au point de me tourmenter en secret depuis toutes ces années.

— Alors, comme ça, c'était toi, Junior, énonçai-je froidement sans même un battement de paupière. Toutes ces années, c'était toi. Je t'ai posé la question et tu m'as assuré du contraire. Tu m'as menti. Et, comme toutes ces fois où je t'ai accordé le bénéfice du doute, tu t'es retourné contre moi. Plus jamais je ne te ferai confiance. Au passage, « frérot », je ne suis pas mort, et loin de là. Je suis vivant et bien vivant.

Tommy garda le silence. Son sourire s'était figé au moment où il quitta mon bureau. Mon double, mon ennemi juré, celui qui, quotidiennement, avait maudit jusqu'à mon existence, descendit le grand escalier en forme de coquillage. Je priai pour ne plus jamais avoir à croiser son chemin, ni même à entendre le son de sa voix.

On pouvait toujours rêver.

Je fis entrer Jeanette Colton.

— Mon jumeau maléfique, lui déclarai-je en guise d'explication.

123

Le lendemain matin, je m'éveillai en parfaite harmonie avec mon rythme circadien.

Pour la première fois depuis bien longtemps, je ne fus pas arraché à un cauchemar par le vibreur du téléphone. Derrière la maison, le bruit des vagues continuait, ininterrompu. Quel bonheur !

Et puis il y avait Justine, allongée à mes côtés.

Je me tournai pour contempler son merveilleux visage ; elle me regardait, le sourire aux lèvres. Mon amour pour cette femme semblait indépassable.

Elle passa ses bras autour de mon cou et m'attira à elle.

— Ah, la musique des vagues… déclara-t-elle. J'ai toujours adoré cette maison.

— Et cette maison t'a toujours adorée.

Allongés sur le flanc, nous nous faisions face. Ramenant sa jambe par-dessus ma hanche, je me laissai aller à une longue et profonde étreinte. Pendant un moment, le son de notre respiration se fit plus fort que celui de l'écume.

Je ne pensais pas pouvoir attendre un instant de plus lorsque ce satané téléphone se mit à sonner.

Tommy ?

Attrapant mon portable, je m'apprêtais à l'envoyer balader jusqu'à ce que j'aperçoive l'écran d'affichage. Ce n'était pas mon frère, mais il fallait que je prenne l'appel.

— Jack Morgan, répondis-je, le souffle court.

La voix décontractée de Carmine Noccia tranchait avec le sérieux du message qu'il avait à me transmettre.

— Je suis désolé, Jack, mais j'ai une mauvaise nouvelle pour vous. Andy Cushman a été victime d'un accident de voiture. Il a pris un virage à pleine vitesse et s'est jeté d'une falaise. Le véhicule a immédiatement pris feu. Pas de traces de pneus. Je crois que ses freins ont lâché.

— Vous êtes certain qu'il s'agissait d'Andy ? demandai-je, toujours un peu haletant.

— Aucun doute possible. Un de nos hommes a assisté à la scène. Nous gardions un œil sur lui, vous comprenez. Passez un bon week-end.

En raccrochant, je pris un instant pour songer à mon nouveau partenaire secret, Carmine Noccia. Jamais de meilleur ami. Jamais de pire ennemi.

Je pensai également aux sentiments que j'avais eus pour Andy et à la façon dont ils avaient changé lorsque j'avais appris sa responsabilité dans la mort de Shelby.

Cet homme avait été mon meilleur ami. J'avais été témoin à son mariage. Je m'attendais à ce qu'il me choisisse comme parrain pour ses enfants, ou au moins à passer du temps en sa compagnie une fois l'âge de la retraite arrivé. Nous aurions écumé les terrains de golf privés à bord de notre jet, nous renvoyant nos souvenirs et nos vieilles blagues à la figure.

Aujourd'hui, Andy était mort. Plus tard, je finirais sans doute par ressentir quelque chose pour lui, mais, pour l'instant, c'était le vide total.

Le vide absolu.

Je sortis du lit et ouvris les baies vitrées. Prenant un peu de recul, je jetai le téléphone aussi loin que je pus. J'attendis qu'il s'échoue au milieu des vagues pour verrouiller la fenêtre et revenir vers Justine.

Pouvait-elle lire sur mon visage ? Cela allait de soi.

Pouvait-elle lire dans mon esprit ? Probablement.

— Qui était-ce ? me demanda-t-elle.

— Ça n'a pas d'importance.

Elle glissa ses mains le long de mon torse.

— Ça va, Jack ?

— Ça va très bien, dis-je en dégageant son visage de ses longs cheveux noirs. Il est temps d'acheter un nouveau téléphone et de prendre un nouveau numéro.

— Surprends-moi, pour une fois. Dis-moi ce que tu penses *vraiment*. Tu crois pouvoir faire ça ?

— Nous étions au milieu d'un truc vraiment bien.

— Je n'ai pas oublié.

Je la pris contre moi pour m'abandonner à son sortilège et l'enlacer passionnément. Tout semblait absolument parfait. Il n'existait aucun autre endroit au monde où j'aurais préféré être.

— Andy est mort, lui susurrai-je à l'oreille.

James Patterson dans Le Livre de Poche

Bikini n° 32208

Une top-modèle disparaît à Hawaii. Alarmés par un étrange coup de fil, ses parents prennent le premier avion. Ben Hawkins, reporter au *Los Angeles Times*, chargé de couvrir l'affaire, leur propose de mener l'enquête ensemble. Le décor paradisiaque se transforme en enfer.

Crise d'otages n° 31637

Alors que toutes les personnalités du pays sont réunies à la cathédrale St Patrick pour rendre un dernier hommage à l'ex-First Lady, les portes se referment brutalement. Pour Bennett, chargé de mener la négociation avec les ravisseurs, la tâche s'annonce ardue.

Dernière escale n° 32393

Katherine Dunne part en croisière dans les Bahamas avec ses trois enfants. Mais, à peine les amarres larguées, les ennuis s'accumulent… jusqu'au naufrage. Les Dunne sont portés disparus. Jusqu'au jour où un pêcheur remonte par miracle une bouteille contenant un SOS.

Garde rapprochée n° 31223

On propose à Ned Kelly de participer à un casse sans risque. Quand ses comparses pénètrent dans la villa du richissime collectionneur, ils réalisent qu'ils se sont fait doubler. Le cambriolage vire au carnage.

Lune de miel n° 37185

Les maris de Nora connaissent tous une fin précoce, au profit de leur veuve ! John O'Hara, un inspecteur du FBI qui se fait passer pour un agent d'assurances, parviendra-t-il à confondre la mante religieuse sans succomber à son charme ?

La Maison au bord du lac n° 31171

Afin que son projet diabolique demeure secret, le Dr Kane doit faire disparaître six enfants qui ont été le jouet de ses expériences de laboratoire. Ceux-ci se sont retranchés dans une maison au bord d'un lac, où ils se croient en sécurité.

On t'aura prévenue n° 32049

La vie de Karine, photographe new-yorkaise de 26 ans, a pris un tour surprenant. Les clichés qu'elle développe sont différents de la réalité… Et chaque nuit, elle fait le même cauchemar : quatre cadavres évacués du Fálcon Hotel. Jusqu'au jour où la scène se déroule *vraiment* sous ses yeux…

Promesse de sang n° 31497

Nick Pellisante, du FBI, traque un chef mafieux, Dominic Cavallo, depuis des années. Après une arrestation spectaculaire, ce dernier attend son procès. Mais le bus qui transportait les jurés explose, et Cavallo s'évade. La mère d'un des jurés est bien décidée à venger la mort de son fils…

Une nuit de trop n° 31919

Lauren surprend Paul, son mari, au bras d'une blonde resplendissante. Pour se venger, Lauren cède aux avances de l'un de ses collègues des stups, dont on découvre peu après le corps sans vie dans un parc du Bronx. L'enquête est confiée à Lauren…

Une ombre sur la ville n° 32430

Un mystérieux « Professeur » sème la terreur dans les quartiers huppés de Manhattan. Palaces, boutiques de luxe et restaurants à la mode de la 5e Avenue sont devenus le terrain de chasse de ce tueur, qui semble choisir ses cibles au hasard. Mais Bennett, inspecteur au NYPD, pressent que cette ombre qui plane sur New York obéit à un schéma bien précis…

LES ENQUÊTES D'ALEX CROSS

Le Masque de l'araignée nº 7650

À Washington D.C., Alex Cross, un détective noir, enquête sur deux kidnappings. Cross n'est pas un détective comme les autres : il est docteur en psychologie, et sa femme a été assassinée par un des tueurs anonymes qui hantent le ghetto.

Grand méchant loup nº 37290

Quand Alex Cross débarque au FBI, il ne sait pas que l'affaire qu'on va lui confier risque d'être l'une des plus scabreuses de sa carrière. En face de lui, un criminel que l'on surnomme Le Loup. Des hommes et des femmes sont enlevés. Le Loup n'exige pas des rançons, il revend ses victimes comme esclaves.

Sur le pont du Loup nº 31577

Une bombe détruit entièrement une petite ville du Nevada. Le Loup revendique l'attentat et exige de l'argent. Alex Cross se lance alors dans une chasse à l'homme aux côtés du FBI, d'Interpol et de Scotland Yard.

Des nouvelles de Mary nº 31723

Une actrice a été assassinée à Beverly Hills. Le *Los Angeles Times* reçoit un mail décrivant le meurtre dans ses moindres détails. Alex Cross comprend que l'assassin, qui se fait appeler Mary Smith, n'en est pas à son premier forfait et qu'il projette de récidiver… Qui sera la prochaine victime ?

La Lame du boucher nº 32503

Maria, la femme d'Alex, est morte dans ses bras, assassinée. Depuis, il a démissionné, repris son activité de psychologue… Jusqu'à ce que son ancien équipier, John Sampson, lui demande de l'aide pour traquer un violeur en série particulièrement cruel, qu'on surnomme « le Boucher »…

Le Women Murder Club

2ᵉ chance nº 37234

Leur extrême brutalité mise à part, rien ne semble relier les meurtres en série qui secouent San Francisco. Mais l'inspecteur Lindsay Boxer subodore qu'il y a anguille sous roche… Appelant à la rescousse ses amies du « Women Murder Club », elle décide d'y voir clair dans cet imbroglio.

Terreur au 3ᵉ degré nº 37267

À San Francisco, la demeure d'un millionnaire explose. Dans les décombres, trois corps et un message : « Que la voix du peuple se fasse entendre. » Lindsay Boxer demande à ses amies de l'aider dans son enquête, les crimes se succédant avec une effrayante régularité.

4 fers au feu nº 31097

Une arrestation de routine tourne mal et une jeune femme est tuée par une balle perdue. Tout accuse le lieutenant Lindsay Boxer. Alors qu'elle attend d'être jugée dans le village de Half Moon Bay, une série de meurtres traumatise la population.

Le 5e Ange de la mort nº 31200

À l'hôpital municipal de San Francisco, des malades sont soudain retrouvés morts alors que rien ne le laissait présager. Les parents des victimes accusent l'hôpital.

La 6e Cible nº 31319

Une fusillade fait plusieurs victimes… dont une femme qui lutte pour rester en vie. Cette femme appartient au Women Murder Club. Au même moment, à San Francisco, des enfants de familles fortunées sont enlevés. Alors que toute la ville tremble, l'inspecteur Lindsay Boxer et ses trois amies mènent l'enquête.

Le 7e Ciel nº 32270

Le fils de l'ancien gouverneur de Californie, atteint d'une malformation cardiaque, disparaît dans des circonstances mystérieuses. Chargée de le retrouver d'urgence, Lindsay Boxer ne mesure pas l'étendue du scandale qu'elle risque de déclencher.

La 8e Confession n° 32609

Un prédicateur défenseur des sans-abri est assassiné. Peu après, dans leur luxueuse propriété de San Francisco, Isa et Ethan Bailey sont retrouvés morts dans leur lit. Les membres du Women Murder Club se lancent sur les traces des deux tueurs…

Du même auteur :

Aux éditions de l'Archipel :

Bons baisers du tueur, 2011.
Une ombre sur la ville, 2010.
Dernière escale, 2010.
Rendez-vous chez Tiffany, 2010.
On t'aura prévenue, 2009.
Une nuit de trop, 2009.
Crise d'otages, 2008.
Promesse de sang, 2008.
Garde rapprochée, 2007.
Lune de miel, 2006.
L'amour ne meurt jamais, 2006.
La Maison au bord du lac, 2005.
Pour toi, Nicolas, 2004.
La Dernière Prophétie, 2001.

Aux éditions Lattès :

En votre honneur, 2011.
La Huitième Confession, 2010.

La Lame du boucher, 2010.
Le Septième Ciel, 2009.
Bikini, 2009.
La Sixième Cible, 2008.
Des nouvelles de Mary, 2008.
Le Cinquième Ange de la mort, 2007.
Sur le pont du Loup, 2007.
Quatre fers au feu, 2006.
Grand méchant loup, 2006.
Quatre souris vertes, 2005.
Terreur au troisième degré, 2005.
Deuxième chance, 2004.
Noires sont les violettes, 2004.
Beach House, 2003.
Premier à mourir, 2003.
Rouges sont les roses, 2002.
Le Jeu du furet, 2001.
Souffle le vent, 2000.
Au chat et à la souris, 1999.
La Diabolique, 1998.
Jack et Jill, 1997.

Au Fleuve noir :

Et tombent les filles, 1996.
Le Masque de l'araignée, 1993.
L'Été des machettes, 2004.
Vendredi noir, 2003.
Celui qui dansait sur les tombes, 2002.

Composition réalisée par DATAGRAFIX

Achevé d'imprimer en décembre 2012 en France par
CPI BRODARD ET TAUPIN
La Flèche (Sarthe)
N° d'impression : 71394
Dépôt légal 1re publication : janvier 2013
LIBRAIRIE GÉNÉRALE FRANÇAISE
31, rue de Fleurus – 75278 Paris Cedex 06

31/6723/6